La increíble historia de...

M

Papel certificado por el Forest Stewardship Council®

MIXTO
Papel | Apoyando la
silvicultura responsable
FSC® C117695
www.fsc.org

Penguin
Random House
Grupo Editorial

Título original: *Robodog*

Primera edición: abril de 2024

Publicado originalmente en el Reino Unido por HarperCollins
Children's Books, una división de HarperCollins Publishers, Ltd.

© 2023, David Walliams
© 2023, Adam Stower, por las ilustraciones
El autor y el ilustrador mantienen el derecho moral de ser reconocidos
como autor e ilustrador de esta obra, respectivamente.
© 2010, Quentin Blake, por el *lettering* del nombre del autor en la cubierta
© 2024, Penguin Random House Grupo Editorial, S. A. U.
Travessera de Gràcia, 47-49. 08021 Barcelona
© 2024, Rita da Costa, por la traducción
Traducido con licencia de HarperCollins*Publishers* Ltd
Diseño de la cubierta: adaptación del diseño de portada de HarperCollins
Publishers para Penguin Random House Grupo Editorial
Ilustración de la cubierta: Adam Stower

Printed in Spain – Impreso en España

ISBN: 978-84-19848-77-2
Depósito legal: B-1.798-2024

Compuesto en Compaginem Llibres, S. L.
Impreso en Rodesa, S. L.
Villatuerta (Navarra)

GT 4 8 7 7 2

David Walliams

La increíble historia de...

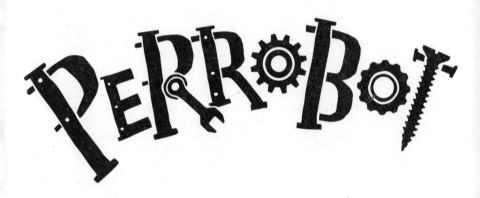

PERROBOT

Ilustraciones de
Adam Stower

Traducción de
Rita da Costa

Montena

Para Bert y Ernie, mis adorables bolitas de pelo

AGRADECIMIENTOS

ME GUSTARÍA DAR LAS GRACIAS A...

CALLY POPLAK
EDITORA EJECUTIVA

CHARLIE REDMAYNE
DIRECTOR GENERAL DE HARPER COLLINS

ADAM STOWER
MI ILUSTRADOR

PAUL STEVENS
MI AGENTE LITERARIO

NICK LAKE
MI EDITOR

VAL BRATHWAITE
DIRECTORA CREATIVA

PRÓLOGO

¿**A** que nunca habéis oído hablar de gatos policía?

¡NO! ¡Por supuesto que no!

No existe tal cosa.

Nunca la ha habido y nunca la habrá.

Los gatos serían sencillamente inútiles como policías. Solo hacen lo que les da la santa gana.

¿Acaso podrías entrenar a un gato para que **MAULLARA** a un ladrón? No.

¿Para que **custodiara** unas joyas? Espera sentado.

¿Podrías entrenar a un gato para que persiguiera a un delincuente? ¡Jamás!

¿Se puede adiestrar a un gato para que haga algo? La respuesta es NI LO SUEÑES.

Los gatos son vagos. Los gatos son egoístas. Los gatos van a la suya.

Por cierto, no le comentéis a ningún gato lo que acabo de escribir sobre ellos. De lo contrario, es probable que algún día os enteréis de que he muerto misteriosamente asfixiado por una bola de pelo de gato.

A ver, no digo que TODOS los gatos sean malvados. Solo el noventa y nueve por ciento de ellos.

Los perros, en cambio, son todo lo contrario.

Los perros se desviven por complacer. Los perros quieren que los quieran. Y, lo más importante de todo, los perros harán literalmente cualquier cosa por una chuche.

Por eso, los perros son los compañeros perfectos de los policías. Y por eso no hay cuerpo de policía en el mundo que no tenga su unidad canina.

Como todos sabemos, los perros vienen en una gran variedad de formas y medidas.

Los hay diminutos y los hay enormes.

Los hay callados y los hay escandalosos.

Los hay enclenques y los hay fortachones.

Los hay sin pelo y los hay lanudos.

Los hay lentos y los hay veloces.

Según el tipo de perro, se le darán mejor determinadas tareas. Por eso los policías adiestran a distintas razas caninas para ayudarlos en su trabajo.

He aquí algunas de las razas que podemos encontrar en la **ACADEMIA DE PERROS POLICÍA**:

El poderoso **pastor alemán**: perfecto para atrapar e inmovilizar a los ladrones.

El **sabueso** de olfato infalible: adiestrado para seguir el rastro de los delincuentes.

El ruidoso **cocker spaniel**: ningún perro ladra más fuerte.

¡GUAU, **GUAU, GUAU!**

El **galgo** corredor: el más veloz a la hora de intercambiar mensajes entre agentes de policía.

¡*F I U U U!*

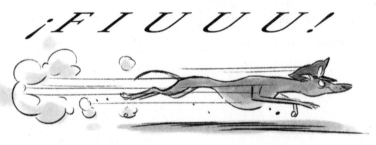

El pizpireto *terrier*: se le da de maravilla patrullar por las calles del barrio.

PATÍN, PATÁN, PATÚN...

El valiente **schnauzer**: no se detiene ante nada con tal de proteger a su compañero de patrulla.

El **beagle** de olfato tenaz: no se le escapa ningún paquete sospechoso escondido en las maletas.

Pero ¿y si hubiese un solo perro capaz de llevar a cabo **todas** estas tareas y muchas más? ¡Sería el **mejor** perro policía de todos los tiempos!

Os presento a PERROBOT:

el futuro de la lucha contra la delincuencia.

HE AQUÍ

LOS HÉROES

Y

LOS VILLANOS

DE ESTA HISTORIA...

LOS HÉROES

EL ROBOT

PERROBOT

Perrobot es el mejor perro policía jamás fabricado.

LA RATA

RATAEL

Ratael parece una rata, huele como una rata y se comporta como una rata, pero se empeña en hacerse pasar por un ratón.

LOS HUMANOS

LA JEFA DE POLICÍA

Esta señora tan bajita ocupa el puesto más alto del cuerpo de policía. Dirige las fuerzas de seguridad de la ciudad de Trapisonda y pone mucho interés en la academia de perros policía.

LA PROFESORA

La profesora es la esposa de la jefa. Es inventora y se pasa el día en el laboratorio que tiene en el sótano de su magnífica casa de campo, conocida como Villa Pasma, donde vive con la jefa.

EL GENERAL

El general es un fanfarrón de mucho cuidado y está al mando del ejército.

LOS PERROS

CANGUELO

El miedoso.

FLOJERAS

El holgazán.

CHORLITO

La corta de entendederas.

LOS GATOS

VELMA

Velma es la mascota de la jefa y la profesora, pero ella está convencida de que es al revés, ¡que ellas son sus mascotas! Siente un profundo odio hacia la raza canina. Cuando un perro entra en Villa Pasma, se pone hecha un basilisco.

CARACORTADA

Caracortada es la criatura más aterradora que os podáis imaginar. Luce una enorme cicatriz en la cara de cuando se peleó con una manada de lobos. Los lobos salieron peor parados que él.

GATUSALÉN

Este gato callejero es tan viejo que nadie sabe cuántos años tiene. Ni siquiera él.

PAVAROTTI

He aquí al gato más grande del mundo. Le gusta que lo lleven de aquí para allá montado sobre una carretilla.

LOS SUPERVILLANOS

CEREBRÍN

Este genio criminal está detrás de la mayoría de los delitos que se cometen en la ciudad de Trapisonda. Su cuerpo murió hace muchos años y sobrevive reducido a una gigantesca sesera que flota en una pecera de cristal.

MANAZAS

La secuaz de Cerebrín es una mujerona bajita y rechoncha que tiene enormes martillos en lugar de manos… y sabe darles buen uso.

LA PEDORRA ENMASCARADA

La Pedorra Enmascarada es una señora que se tira llamaradas por donde ya sabéis.

LA MOLE

Este villano es tan grande como una casa. Una casa pequeñita, pero una casa, al fin y al cabo.

EL CHOCOLATERO

¡Cuidado con sus bombones
de café, que vienen camuflados
en una caja de sabores surtidos!

DOCTORA FÉTIDA

Su aliento es tan hediondo
que quienes lo respiran se
ponen de un color verdoso
y caen fulminados.

LA REINA DE LAS NIEVES

Esta villana de sangre azul puede
convertirte en un cubito de hielo
solo tocándote con su dedo índice.

EL MONSTRUO DE LAS COSQUILLAS

Con esta criatura de brazos larguísimos
te mueres de risa, literalmente.

EL OGRO DE DOS CABEZAS

No hay manera de que se ponga de acuerdo consigo mismo.

LA DIRECTORA MALVADA

Su arma secreta son los deberes, deberes y más deberes.

LA POLÍTICA

¡Puede matarte de aburrimiento con solo una frase!

PROFESOR CALAMAR

¡Chof!

EL GUSANO GIGANTE

Pues eso.

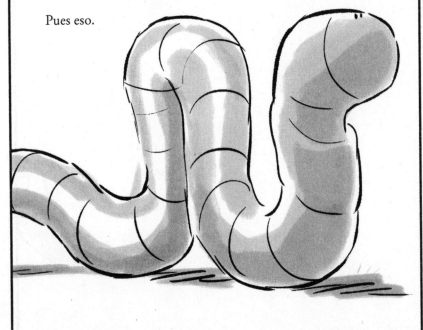

BIENVENIDOS A TRAPISONDA

ALLÁ TÚ SI ENTRAS

TRAPISONDA es una ciudad donde la delincuencia campa a sus anchas y se ha adueñado de todo.

Es fría, oscura y fea.

Esta jungla urbana infestada de ratas no es solo mugrienta, sino también uno de los lugares más peligrosos del planeta. **TRAPISONDA** se ha convertido en la guarida de muchos delincuentes que aterrorizan a sus inocentes ciudadanos. Nada ni nadie está a salvo de estos malvados criminales.

La ciudad necesita su propio **superhéroe** para poner fin al reinado de los supervillanos.

Pero ¿dónde está?

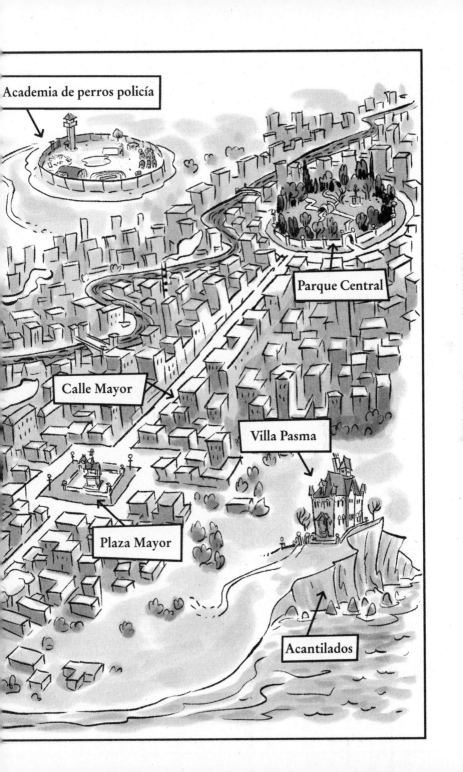

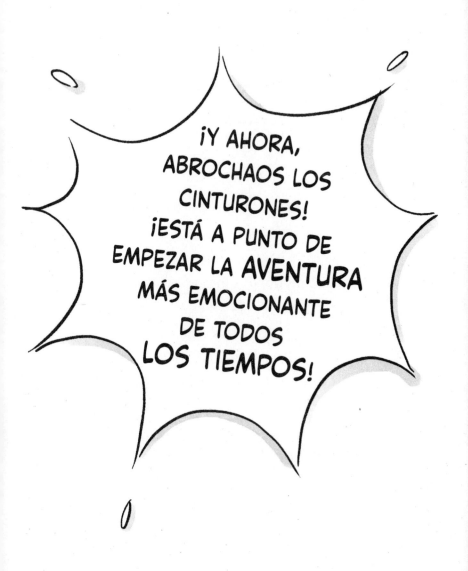

CAPÍTULO UNO

LA PATRULLA PERDIDA

TRAPISONDA era una herida purulenta en la cara del mundo.

Una jungla de edificios ruinosos apiñados en callejones estrechos donde nunca tocaba el sol.

Las ratas corrían por doquier.

La basura se apilaba en las esquinas.

El agua del río era de color marrón.

Y una densa niebla tóxica flotaba sobre la ciudad como un mal olor.

En otros tiempos, **TRAPISONDA** había sido el lugar donde personas normales y corrientes luchaban por sus sueños, pero ahora se había convertido en escenario de sus peores *PESADILLAS*.

La cárcel local estaba abarrotada de delincuentes, a cuál más peligroso, y aun así seguían saliendo como setas. La última pareja criminal que había saltado a la primera plana de la *GACETA DE TRAPISONDA* estaba formada por **CEREBRÍN** y su secuaz, **MANAZAS**.

Este era tan solo el más reciente de una larga serie de titulares.

TRAPISONDA tal vez fuera una ciudad sin ley, pero aún no era una ciudad sin esperanza.

La persona más bajita del cuerpo de policía era también la más eficiente. Ya de pequeña, se encargaba de pararles los pies a los abusones del cole. Nada más acabar los estudios, se había apuntado al cuerpo de policía y desde entonces estaba al frente de la lucha contra la delincuencia. Ahora, por fin, la habían

nombrado jefa de la policía de **TRAPISONDA**. Todo el mundo la conocía sencillamente como «la jefa», incluida su mujer, que era una inventora a la que todos llamaban «la profesora».

Una de las grandes ideas de la jefa había sido inaugurar la primera academia de adiestramiento de perros policía de **TRAPISONDA**. Estaba segura de que los perros serían un arma poderosa para impedir que los delincuentes se adueñaran de la ciudad, y pronto se vio que tenía razón: su ejército de perros policía, en colaboración con los agentes humanos, había llevado ante la justicia a algunos de los grandes supervillanos de **TRAPISONDA**. Gracias a los valientes perros, esos peligrosos malhechores estaban ahora entre rejas. Sin embargo, cada semana aparecían más, y a veces daba la impresión de que la policía no podía hacerles frente.

Fue entonces cuando la jefa encontró un campo de entrenamiento militar abandonado en las afueras de la ciudad y decidió convertirlo en una academia de perros policía.

Grandes portones de acero
Sirven para mantener a los perros dentro y los gatos callejeros fuera.

La torre de vigilancia
Siempre hay agentes de policía en esta torre, equipada con potentes reflectores para mantener la academia a salvo de los delincuentes. Nunca se sabe cuándo volverán al ataque.

Carrera de obstáculos
Donde se pone a prueba la forma física de los cadetes.

El estanque
Ideal para practicar audaces rescates acuáticos.

La cantina
El lugar preferido de todos los perros, ¡porque es donde les dan de COMER!

El campo de entrenamiento
Donde tienen lugar las temidas carreras al amanecer.

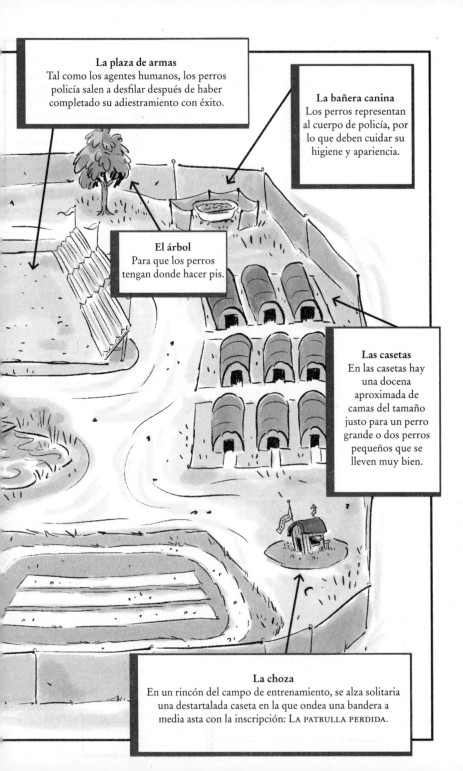

La plaza de armas
Tal como los agentes humanos, los perros policía salen a desfilar después de haber completado su adiestramiento con éxito.

La bañera canina
Los perros representan al cuerpo de policía, por lo que deben cuidar su higiene y apariencia.

El árbol
Para que los perros tengan donde hacer pis.

Las casetas
En las casetas hay una docena aproximada de camas del tamaño justo para un perro grande o dos perros pequeños que se lleven muy bien.

La choza
En un rincón del campo de entrenamiento, se alza solitaria una destartalada caseta en la que ondea una bandera a media asta con la inscripción: LA PATRULLA PERDIDA.

La **patrulla perdida** era el nombre por el que se conocía a los tres perros que vivían en la choza.

Los llamaban así porque llevaban un montón de años en la academia de perros policía, pero nunca habían superado las pruebas de admisión. Se veían obligados a repetir el adiestramiento una y otra vez porque eran demasiado miedosos, vagos o cortos de entenderas.

Vamos a conocerlos mejor:

Canguelo

Pese a ser corpulento y fuerte, como corresponde a un pastor alemán, Canguelo era muy miedoso. El pobre se asustaba con una mosca.

Chorlito

Esta perra sabuesa era muy corta. Y cuando digo que era corta quiero decir que no tenía dos dedos de frente. Era tan corta que a veces ni siquiera recordaba que era un perro.

La patrulla perdida

Flojeras

Este beagle era el más pequeño de los tres, y también el más perezoso. Si le dejaran, podría pasarse el día holgazaneando.

Los tres integrantes de la **patrulla perdida** eran los responsables de algunos de los peores DESAS-TRES CANINOS de todos los tiempos.

En cierta ocasión, Canguelo se escondió debajo de una silla y, sin querer, empezó a hacer cosquillas con la cola en el trasero de la jefa de policía.

—¡JA, JA, JA!

Otro día, Flojeras robó una motocicleta de la policía para no cansarse en la carrera campo a través.

¡BRRRUM!

Y ¿cómo olvidar la vez que el presidente fue de visita a la academia y Chorlito lo confundió con un ladrón y lo tiró al suelo delante de todos?

—¡CÁSPITA!

El caso es que este nefasto trío de cadetes llevaba tanto tiempo en **LA ACADEMIA DE PERROS PO-LICÍA** que ni siquiera se acordaba de cuándo había entrado, sobre todo Chorlito, que a duras penas recordaba su propio nombre. Sin embargo, la jefa confiaba en que ese año, por fin, lograran superar las pruebas de aptitud, aunque fuera por los pelos, y salieran a patrullar las calles de **TRAPISONDA**. A luchar contra la delincuencia y poner a los delincuentes entre rejas. A ganar medallas relucientes por su valentía.

Qué **equivocada** estaba.

CAPÍTULO DOS

DESASTRES CANINOS

Nuestra aventura empieza la mañana del **desfile de graduación**, el gran día en que, tras haber completado su adiestramiento, los cadetes descubrían si habían pasado las pruebas de aptitud y se convertían en perros policía.

Ese día había mucha niebla. Era una mañana fría, húmeda y oscura, como casi todas en **TRAPISONDA**. No obstante, los perros lucían sus mejores galas: se habían recortado el pelo, limado las garras, limpiado los dientes, frotado las patas, cepillado la cola…

Hasta la **patrulla perdida** parecía más o menos presentable.

Canguelo se había dado un baño.

Flojeras se había lameteado las patas.

Y Chorlito se había caído al estanque.

Así que, tras perderse de camino a la **plaza de armas** no una vez, ni dos, ni tres...

¡ESTO SE ME ESTÁ HACIENDO ETERNO!

... SINO SIETE VECES, la **patrulla perdida** ocupó su lugar junto a los demás cadetes justo cuando estaba a punto de empezar el desfile.

—Ahora que ya estamos todos... —empezó la jefa con retintín, mirando a los recién llegados con cara de pocos amigos—, podemos empezar, por fin.

El pico de su gorra apenas asomaba por encima del atril. La jefa podía ser bajita, pero era una mujer de **armas tomar** y sabía hacerse oír.

Gorra

Ojos que no
pierden
detalle

Pelo corto
y recogido

Aire
resuelto

Charreteras

Guantes de cuero

Medallas
al valor

Uniforme
impecable

Medias negras

Zapatos siempre
relucientes

—Como sabéis, en **TRAPISONDA** tenemos a algunos de los delincuentes más peligrosos de todos los tiempos. Justo anoche, uno de esos rufianes robó todos los tesoros del museo de la ciudad.

La jefa blandió un ejemplar de la *GACETA DE TRAPISONDA*, cuyo titular decía:

GACETA DE TRAPISONDA

LADRONES VACÍAN
EL MUSEO
«RECUERDO HABER CERRADO CON LLAVE»,
SE DEFIENDE EL DIRECTOR

Los cadetes se quedaron horrorizados.

—**TRAPISONDA** necesita más que nunca a perros como vosotros al frente de la policía. Os felicito, chicos. ¡Os habéis esforzado mucho y por fin estáis listos para ser perros policías! —exclamó la jefa.

Los perros ladraron en señal de alegría.

–¡GUAU, GUAU, GUAU!

—Eso es un motivo de orgullo no solo para mí, sino para todos los presentes. Se trata del día más importante en la vida de cualquier perro. ¡El día en que por fin formaréis parte del cuerpo de policía! Habéis superado todas las pruebas de aptitud y eso os convierte en los mejores entre los mejores. ¡Os merecéis una buena palmadita en la espalda!

Era una forma de hablar, la jefa no estaba invitando a los cadetes a darse realmente una palmada en la espalda. Solo un perro en toda la **plaza de armas** tomó sus palabras al pie de la letra: Chorlito.

La perra levantó una pata delantera e intentó tocarse el lomo, pero no tardó en comprobar que era mucho más difícil de lo que había imaginado. Se le ocurrió probar suerte con la pata trasera, pero perdió el equilibrio y se desplomó sobre Canguelo.

—¡AAAY!

Canguelo cayó sobre Flojeras.

—¡CACHIS!

Y Flojeras dio con sus huesos en el suelo.

¡PUMBA!

El beagle perdió el conocimiento.

—Ha llegado el momento —continuó la jefa, muy ufana— de que subáis al escenario de uno en uno ¡para que os estreche la pata y os dé la bienvenida al cuerpo de policía de **TRAPISONDA**!

Los perros obedecieron y formaron una cola. Ahora los cien cadetes estaban alineados en perfecta formación, como piezas de dominó meticulosamente colocadas una tras otra.

¿Qué podría salir mal?

Pronto descubrirían que… ¡TODO!

CAPÍTULO TRES

UNA MONTAÑA PELUDA

Cuando volvió en sí, Flojeras fue a ponerse al final de la cola, pero, como seguía un poco aturdido, se hizo un lío con sus propias patas y tropezó.

¡CATAPLOF!

Avanzó dando tumbos hasta el final de la cola, pero ahora tenía la cabeza donde debería tener el trasero y viceversa, de modo que no veía por dónde iba. Tampoco es que importara demasiado, porque avanzaba tan deprisa que no habría podido frenar. Se estampó contra Canguelo, que se estampó contra Chorlito, que se estampó contra el siguiente perro de la cola, que se estampó contra el siguiente, y así sucesivamente. De pronto, había un centenar de perros cayendo unos sobre otros.

Los cadetes se abalanzaron hacia delante en tropel. ¡Eran una fuerza imparable! ¡UN TSUNAMI DE PERROS!

Hocicos. Patas. Orejas. Lenguas. Más patas. Colas. Barrigas. Lomos. Todo junto y revuelto.

–¡ALTO! –gritó la jefa al ver que la marabunta iba derecha hacia ella.

Pero, por más que quisieran, los perros no podían parar. ¡En un visto y no visto, la jefa quedó sepultada bajo una MONTAÑA PELUDA!

¡CATAPUMBA!

La pila de un centenar de perros y una señora era tan alta como la torre de vigilancia de la academia.

–¡GUAU, GUAU, GUAU!

–ladraban los cadetes, intentando desenredarse. Debajo de todos ellos, con un trasero de perro pegado a la cara, estaba la jefa.

Cuando por fin logró zafarse, tenía un perrito faldero encaramado a la cabeza y estaba a punto de perder los estribos. Tenía tal cabreo que se puso roja como un

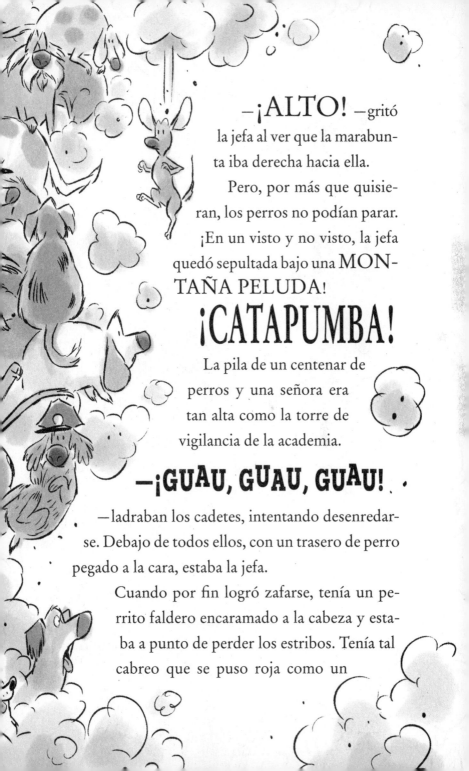

tomate y le salía humo por las orejas. Su inmaculado uniforme estaba manchado y hecho jirones.

—¡SE ACABÓ! —chilló la jefa—. ¡ESTÁIS **TODOS** SUSPENDIDOS! ¡NINGUNO DE VOSOTROS SE CONVERTIRÁ EN PERRO POLICÍA ESTE AÑO!

Todas las miradas se volvieron hacia Flojeras.

—¡GRRR! —gruñeron los cadetes al unísono.

Flojeras miró a su alrededor como si no entendiera por qué la tomaban con él.

—¿Es por algo que he dicho? —preguntó con aire inocente.

Desde ese instante, los cadetes de la **patrulla perdida** se convirtieron en unos apestados. Los demás perros no podían ni verlos, ya que por su culpa tendrían que pasar un año más haciendo adiestramiento.

Fue una **CATÁSTROFE**.

Todos los perros la tomaron con los integrantes de la **patrulla perdida**.

Les mordisqueaban las orejas.

Les robaban las chuches.

Se hacían pis en su caseta.

Les destrozaban los juguetes.

Les volcaban el cuenco del agua.

Les tiraban de la cola.

Les roían los collares.

Les hacían cosquillas en las patas.

Les escondían los huesos.

Y lo peor de todo: ¡se tiraban pedos sobre su comida!

¡PRRRT! ¡PRRRT! ¡PRRRT!

Ya os he dicho que fue una **catástrofe**.

—¿Son cosas mías o los demás perros están un poco raros con nosotros? —preguntó Flojeras.

—¡Yo no he notado nada, todos nos tratan fenomenal! —contestó Chorlito.

—¡DE ESO NADA! —chilló Canguelo—. ¡Nos tratan fatal!

Los tres perros estaban en su pequeña choza, situada al fondo de la **plaza de armas**. Como siempre, la banderita deshilachada de «La patrulla perdida» ondeaba a media asta en el tejado.

—El desayuno de hoy tenía un regusto extraño —comentó Chorlito.

—¡Ya lo creo! —exclamó Flojeras—. ¡Un regusto a traca de pedos!

—Ah, ¿y lo venden en lata? —dijo Chorlito.

—¡Por supuesto que no! —estalló Canguelo.

—Pues qué lástima… —repuso Chorlito.

—¿No lo entiendes? —bramó Canguelo—. ¡Se han tirado tracas de pedos sobre toda nuestra comida! ¡Los demás perros intentan por todos los medios que nuestra vida sea un infierno!

—¿Y a santo de qué? —preguntó Flojeras.

—¡Por lo que tú hiciste! —replicó Canguelo—. ¡Provocaste una caída en cascada y por tu culpa casi aplastamos a la jefa de policía bajo una montaña peluda!

—¿Eso fue culpa MÍA? —preguntó Flojeras con cara de pasmo.

—¡PUES CLARO!

Flojeras se tapó los ojos con la pata, se fue dando saltitos hasta un rincón de la choza y se desplomó sobre un costado.

¡*CHOF!*

Entonces empezó a gimotear como si se sintiera víctima de una gran injusticia.

—¡UY, UY, UY…!

Lo que la **patrulla perdida** no imaginaba siquiera era que lo peor estaba por llegar.

CAPÍTULO CUATRO

EL GATO MÁS MALVADO DEL MUNDO

Mientras tanto, en la otra punta de **TRAPI-SONDA,** la jefa volvía a casa al volante de su coche patrulla, tan cubierta de pelos que más parecía el Yeti.

DESCUBRE LAS DIFERENCIAS

JEFA DE POLICÍA

YETI

La jefa se sentía humillada. Tenía que asegurarse de que jamás volviera a pasar algo así. La cabeza le daba vueltas a la misma velocidad que las ruedas del coche. ¡Algo tenía que hacer!

En cuanto llegó a **Villa Pasma**, una gran casa de campo levantada al borde de un acantilado, llamó a su mujer. La profesora subió corriendo desde su

LABORATORIO del sótano y cogió el rodillo quitape-
lusas para limpiar el uniforme de la jefa. La profesora era una científica brillante, y eso se notaba en su
aspecto.

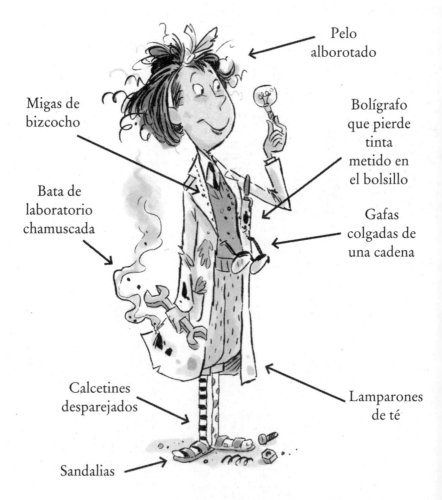

Pelo
alborotado

Migas de
bizcocho

Bolígrafo
que pierde
tinta
metido en
el bolsillo

Bata de
laboratorio
chamuscada

Gafas
colgadas de
una cadena

Calcetines
desparejados

Lamparones
de té

Sandalias

La profesora se pasaba el día encerrada en un LA-BORATORIO en el sótano de **Villa Pasma**, rodeada de tubos de ensayo, mecheros Bunsen y tubos de goma. Se había hecho famosa por inventar una lavadora tan eficiente que, en solo un minuto, lavaba y secaba toda la colada, pero siempre andaba pensando en nuevos **artilugios**.

—Un poquito más, un poquito más, un poquito más… —decía la profesora cada vez que pasaba el rodillo.

—¡Así no acabaremos nunca! —protestó la jefa, que seguía luciendo una espesa capa de pelo.

—¡Estate quieta!

—¡Si no me he movido! Pero lo único que haces es desplazar el pelo de aquí para allá.

—¡De eso nada! ¡Mira! —exclamó la profesora enseñándole el rodillo, que ahora parecía una **gi-gantesca** piruleta de pelo.

—¡Grunf! —refunfuñó la jefa.

Desde el sofá, Velma contemplaba la escena con desdén. Velma era una gata o, mejor dicho, una enorme bola de pelo gris con cuatro patas de la que sobresalía una cola. Como suele pasar con los gatos,

Velma era la que mandaba en la casa que compartían las dos mujeres.

Y daba la casualidad de que detestaba a los perros.

Los gatos y los perros han sido enemigos declarados desde el comienzo de los tiempos, pero lo de Velma era distinto, porque daba la casualidad de que era el gato más malvado del mundo. Quería que los perros desaparecieran de la faz de la Tierra. Se pasaba horas encaramada al muro del jardín, inmóvil

como una estatua, hasta que pasaba algún perro por allí. Entonces, regurgitaba una enorme bola de pelo y la lanzaba al desdichado animal como si fuera un proyectil.

¡JRRRP!

¡Z A S!

—¡AUUU!

Velma les sonreía enseñando los colmillos y los perros se escabullían, aullando de miedo.

—¡AUUU!

La gata era muy lista. Reconocía el pelo de perro y no estaba dispuesta a dejar que entrara en SU casa, así que esperó pacientemente hasta que la profesora alzó el rodillo cubierto de pelo y, en ese preciso instante, soltó un estornudo huracanado.

¡ACHíÍÍÍÍÍÍÍÍÍSSSSSS!

La masa de pelo atrapada en el rodillo salió despedida y aterrizó en la cara de la profesora.

¡C A T A P L O F!

Era como si se hubiese transformado en una mujer lobo.

—¡JI, JI, JI! —rio la gata con disimulo.

—He estado pensando… —empezó la jefa.

—Eso no es propio de ti —bromeó la profesora mientras se apartaba aquella mata de pelo de la cara.

Las dos mujeres llevaban media vida juntas y se querían mucho, pero eso no impedía que de vez en cuando se chincharan cariñosamente. Al revés, esas bromas las unían aún más.

—¡Grunf! —volvió a refunfuñar la jefa.

—Vale, cuéntamelo…

—Mientras intentaba quitarme de encima a una tonelada de perros, tuve una idea.

—¡Suéltalo ya, que me tienes en ascuas!

—Como sabes, en la policía tenemos distintas razas de perro que desempeñan diversas funciones.

—Por supuesto.

—¿Y por qué no tenemos un solo perro que las desempeñe todas?

—¡Porque no hay ningún perro en el mundo que sea un buen rastreador, un buen guardián y un buen corredor A LA VEZ!

—¡Todavía no! Pero tú podrías inventarlo.

—¿Yo?

—Claro. Eres una científica brillante, ¿verdad que sí?

La profesora contempló su bata blanca de LABORATORIO y los calcetines desparejados que llevaba puestos bajo las sandalias.

—¡Eso parece!

—Bien, pues ¡se me ha ocurrido que podrías diseñar y fabricar un perro policía robot!

—¿Un qué? —farfulló la profesora.

—¡Tendrá morro…! —susurró Velma para sus adentros—. ¿Cómo se le ocurre? ¿Un perro en esta casa? ¡JAMÁS!

—¡Un perro policía robot! —repitió la jefa—. Un perro capaz de rastrear, patrullar, perseguir a los malos, hacer todo lo que hace un perro policía y mucho más. Podríamos llamarlo… ¡PERROBOT!

La profesora no salía de su asombro.

—Pero ¡yo fabrico lavadoras, no perros robot!

—Bueno, tampoco hay tanta diferencia, ¿no? —replicó la jefa.

—¿Dejarías que un perro te lavara la ropa interior?

—No.

—Si tiras un palo, ¿crees que la lavadora te lo va a traer?

La jefa lo pensó unos instantes y contestó:

—No.

—Entonces sí que hay diferencia, ¿no crees? —replicó la profesora, cruzándose de brazos.

La jefa no dijo nada, pero sonrió. Tenía que haber alguna manera de convencer a su querida mujer.

—No es exactamente lo mismo, en eso tienes razón, pero tú eres tan brillante, amor mío, ¡que no me cabe duda de que podrías hacerlo!

—Pero es que…

—El presidente en persona me ha llamado esta mañana para decirme que, si no acabo de una vez por todas con esta oleada de delincuencia en **TRAPI-SONDA**, me enviará al ejército.

—¡¿Al ejército?!

—¡Es humillante! —se lamentó la jefa—. ¡He dado sangre, sudor y lágrimas por esta ciudad!

—Nadie ha hecho más que tú por luchar contra la delincuencia.

—¿Qué me dices, mi querida esposa? ¿Nos echas una mano? ¡**TRAPISONDA** te necesita!

La profesora suspiró resignada.

—Haré lo que pueda.

La jefa la rodeó con los brazos.

—¡TE QUIERO!

CAPÍTULO CINCO

EL LABORATORIO SECRETO

La profesora bajó corriendo por la larga escalera de caracol que llevaba al sótano de la casa. Allí, en su **LABORATORIO** secreto, se puso manos a la obra sin perder un instante. Había mucho que diseñar, construir y programar. Como había inventado la lavadora más eficiente del mundo, tenía miles de piezas sobrantes para su nueva creación.

Botones

Interruptores

Cintas

Tubos de goma

Tuercas

Tornillos

Pantallas de cristal

Planchas metálicas

Cables
eléctricos

Placas
base

Las cosas que no tenía, como por ejemplo armas de fuego (las lavadoras no suelen llevar misiles incorporados, la verdad), se las encargó a la jefa.

Aunque era una científica brillante, la profesora nunca había fabricado un robot, y menos aún un perro robot, no digamos ya un perro robot policía. Pero se entregó a la tarea **en cuerpo y alma,** trabajando noche y día sin descanso.

Pasaron los días.

Pasaron las semanas.

Pasaron los meses.

A veces, cuando la profesora le daba la espalda, Velma se colaba de puntillas en el LABORATORIO y, oculta entre las sombras, la observaba en silencio mientras ensamblaba todas las piezas con precisión.

—¡Destruiré ese perro robot, así sea lo **último** que haga! —murmuraba la gata para sus adentros.

Un día, cuando la profesora volvía del cuarto de baño, se cruzó en la escalera con Velma, que salía del **LABORATORIO** a la carrera.

—¡VELMA! —exclamó la mujer, porque aquel bólido peludo casi la tira escaleras abajo.

La gata no se detuvo ni maulló, y daba la impresión de llevar algo en la boca, pero se escabulló tan deprisa que la profesora no alcanzó a verlo.

Mientras, la jefa se veía sometida a una gran presión. **TRAPISONDA** se estaba convirtiendo en una ciudad sin ley. **CEREBRÍN** y **MANAZAS** sembraban el terror en las calles sin que nadie los detuviera.

Por fin llegó el día en que la profesora decidió desvelar su creación. Era de madrugada cuando acabó de construir a Perrobot. Subió la escalera a toda prisa para despertar a su mujer, que dormía a pierna suelta con Velma despatarrada sobre su cabeza.

—¡DESPIERTA! —exclamó la profesora, sacudiendo a la jefa.

—¡FUUU! —bufó Velma, apartándose a regañadientes.

La jefa abrió los ojos y alargó la mano hacia el despertador de la mesilla.

—Pero ¡si aún no es de día! ¿Ha caído una bomba sobre **TRAPISONDA**? Si la respuesta es no, ¡sea lo que sea puede esperar hasta que salga el sol!

—¡De eso nada! —replicó la profesora—. ¡Lo he terminado! ¡Ven a verlo!

Y arrastró escaleras abajo a su mujer, que llevaba puesto un pijama a rayas.

Velma las siguió a una distancia prudente.

Cuando llegaron al sótano, la profesora arrancó la sábana que cubría su creación, como si se dispusiera a hacer un número de magia, y exclamó:

—¡TACHÁN!
TE PRESENTO A...
¡PERROBOT!

La jefa se quedó mirando el perro robot con los ojos como platos.

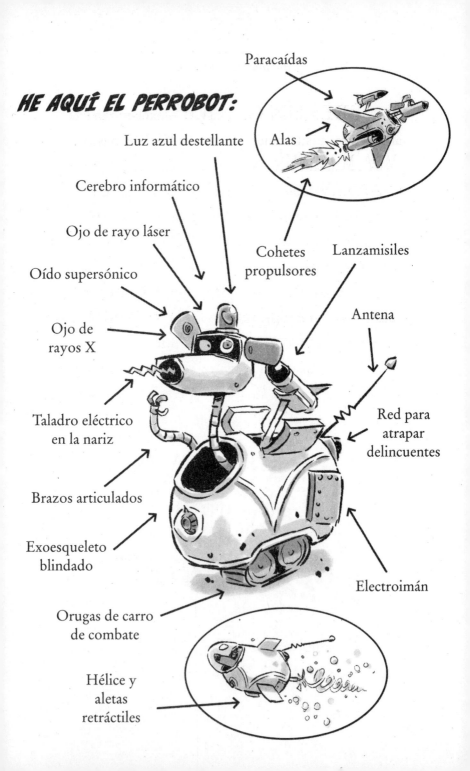

HE AQUÍ EL PERROBOT:

Paracaídas

Luz azul destellante

Cerebro informático

Ojo de rayo láser

Oído supersónico

Ojo de rayos X

Alas

Cohetes propulsores

Lanzamisiles

Antena

Taladro eléctrico en la nariz

Brazos articulados

Exoesqueleto blindado

Red para atrapar delincuentes

Orugas de carro de combate

Electroimán

Hélice y aletas retráctiles

—¡ERES UN GENIO! —exclamó la jefa, abrazando a su mujer y cubriéndola de besos—. ¡MUA, MUA, MUA!

—¡Vale, vale! —dijo la profesora entre risas.

—¿Te das cuenta? ¡Perrobot puede ser la respuesta a todos mis problemas! ¡No solo reemplazará a los perros policía, que no hacen sino darme quebraderos de cabeza, sino que además podrá meter entre rejas a todos los supervillanos de **TRAPISONDA**!

CAPÍTULO SEIS

ALGO IMPENSABLE

La profesora y la jefa contemplaban al perro robot como dos orgullosas madres.

—¡Lo has hecho! —exclamó la jefa.

—¡Lo HEMOS hecho! —corrigió la profesora.

—¡Sí! Supongo que Perrobot fue idea mía, pero ¡no podría haberlo hecho sin ti!

La científica puso los ojos en blanco y sonrió.

Velma las espiaba plantada en lo alto de la escalera de caracol.

—¡FUUU!

La gata veía a sus dueñas como molestas invitadas o incluso como intrusas en la que consideraba SU casa, ¡y para colmo habían hecho algo impensable! ¡Habían metido a un PERRO en SU casa!

Velma no era un dechado de simpatía, pero en ese

instante ¡su mueca de enfado parecía capaz de romper un espejo!

Tenía las orejas levantadas.

Los colmillos *relucientes*.

Las aletas de la nariz **infladas**.

Las garras listas para el ataque.

Y la cola tan tiesa que podría haberse usado como regla.

—¿Quieres hacer los honores, que-que-querida? —preguntó la profesora con manos temblorosas de emoción, señalando el interruptor.

—¿Por qué estás ner-ner-nerviosa?

—¡He creado vida! ¡No es tan solo una máquina, sino un ser pensante!

La jefa se quedó pensativa.

—¿Es chico o chica? —preguntó.

—¡Chico!

—¡Vaya! ¿Y tiene sentimientos?

—No lo sé —contestó la profesora—. No le he dado un **corazón**.

—Entonces ¿no puede sentir nada?

Una profunda angustia ensombreció la cara de la profesora.

—No sé si esto ha sido buena idea. Me parece que no tendría que haberlo hecho.

—¡Tonterías!

—Me pone muy nerviosa verlo cobrar vida. ¿Y si lo encendemos juntas?

—¡Buena idea! ¡Tú primero!

La profesora negó con la cabeza.

—¡He dicho juntas!

Las dos mujeres entrelazaron las manos y dirigieron sus respectivos índices hacia el interruptor como si fueran una sola persona.

¡CLIC!

Al principio, no pasó nada.

Al cabo de un instante, se oyó una sucesión de *chirridos* y chasquidos que parecían brotar de las entrañas del robot.

De pronto, uno de sus ojos parpadeó y se abrió. Luego el otro.

La nariz se estremeció.

La mandíbula se abrió.

Y la cola se enderezó.

De repente, las orugas que tenía por pies empezaron a rodar.

¡RACARRACARRÁ!

Perrobot cruzó el **LABORATORIO** traqueteando a toda velocidad y fue a empotrarse contra una mesa…

¡CATAPLÀN!

… luego volcó una silla…

¡PLONC!

… y finalmente se dio de morros contra la pared.

¡PUMBA!

—¡Está fuera de control! —gritó la jefa.
—¡FALLO TÉCNICO! ¡FALLO TÉCNICO!
¡FALLO TÉCNICO! —repetía Perrobot.
—¡Ji, ji, ji! —reía Velma con disimulo.

CAPÍTULO SIETE

DETENIDO

—¡**H**AZ QUE PARE! —gritó la profesora, asistiendo a la destrucción simultánea de su gran creación y de su LABORATORIO.

¡**PAM, POM, CATAPLÁN!**

—¡FALLO TÉCNICO! ¡FALLO TÉCNICO! ¡FALLO TÉCNICO! —seguía diciendo Perrobot.

—¿Qué quieres que haga? —replicó la jefa.

—¡Yo qué sé! ¡Eres la jefa de policía de Trapisonda! ¡Detenlo!

—¿Que lo detenga? Pero ¡si es un robot!

—¡JI, JI, JI! —se burlaba la gata al ver el caos que había desatado—. ¡Ese cacharro acabará en el cubo de la basura antes de que salga el sol!

Pero Velma estaba a punto de recibir su merecido, porque en ese instante Perrobot dio marcha atrás y se propulsó a toda velocidad hacia la escalera de caracol.

¡RACARRACARRÁ!

¡CLONc!

La escalera se estremeció violentamente y la gata perdió el equilibrio.

—¡MIAUUU! —maulló mientras caía al vacío.

¡ZAS!

Velma aterrizó sobre la espalda de Perrobot.

¡CLONC!

Y le clavó las garras sin pensarlo.

¡RAS, RAS, RAS!

—¡ATAQUE FELINO! —exclamó el robot.

Velma intentó hundir las garras en la espalda de Perrobot, pero, aunque fueran afiladas como cuchillos, no podían hacer mella en el exoesqueleto de metal blindado, porque ¡resbalaban todo el rato!

Perrobot empezó a dar vueltas y más vueltas sobre sí mismo, como si persiguiera su propia cola, y Velma quedó atrapada en el torbellino.

¡ZIS, ZAS!

Giraba tan deprisa que pronto se convirtió en un borrón.

¡ZIS, ZAS!

—¡GATO, QUEDAS DETENIDO! —anunció Perrobot con su voz metálica—. ¡GATO, QUEDAS DETENIDO! ¡GATO, QUEDAS DETENIDO!

De pronto, el robot perdió el control y fue a estrellarse contra un taburete, momento en el que Velma salió disparada.

¡MIAUUU!

Surcó el aire…

¡FIUUU!

… y fue a caer de cabeza en una papelera.

¡MIAUUU!

¡CLANC!

—¡FUUUUUU! —bufó, hecha una **furia**.

Saltó de la papelera a la superficie de trabajo, se sacudió los cachitos de basura que se le habían quedado pegados y ¡se abalanzó sobre Perrobot con un GOLPE DE KUNG-FU!

—¡MIAAAU!

Al verla venir, Perrobot le dio la espalda, apuntándole con su trasero metálico.

—¡GATO, NO TE MUEVAS! ¡QUEDAS DETENIDO!

Velma parecía confusa, y no era para menos. ¿Cómo no vas a moverte si has dado un gran salto y estás en el aire?

Y entonces…

¡CHAS!

… ¡una red salió disparada del trasero de Perrobot!

La profesora y la jefa contemplaban la escena horrorizadas, sin poder hacer nada.

La red se desplegó sobre la gata en pleno vuelo y la envolvió por completo.

¡FLOP!

Velma se cayó a plomo y se dio de bruces en el suelo con un sonoro ¡CLONC!

—¡MIAAAU! —maulló, intentando escapar. Sin embargo, cuanto más forcejeaba, más se enredaba.

¡FUUU!

Sin querer, se metió la cola en su propio ojo.

—¡MIAU! —maulló de dolor.

Luego se dio una patada en el hocico...

—¡CACHIS!

... y, por si fuera poco, acabó con la nariz pegada a su propio trasero.

—¡PUAAAJ!

Mientras, Perrobot daba vueltas a su alrededor.

—¡GATO, QUEDAS DETENIDO! ¡GATO, QUEDAS DETENIDO! ¡GATO, QUEDAS DETENIDO!

—POR LO QUE MÁS QUIERAS, ¡CARI-
ÑO, DESCONECTA ESE MALDITO TRAS-
TO! —bramó la jefa, intentando esquivar a Perro-
bot para poder liberar a la gata.

—¡ESO INTENTO, AMOR MÍO! —replicó
la profesora, corriendo tras su invento.

Perrobot se movía sin ton ni son, era imposible
atraparlo.

—¡POR FAVOR, TE LO RUEGO, ESTATE
QUIETO! —le suplicó la profesora mientras su in-
vención destrozaba el LABORATORIO. Varias lavadoras, tanto viejas como nuevas, acabaron hechas
añicos.

¡CATACRAC!

Y se desplomaron unas sobre otras.

¡CATAPUMBA!

Había llegado el momento de tomar medidas desesperadas. Cuando vio que Perrobot avanzaba en su dirección, la profesora tomó impulso y se encaramó a su espalda de un salto.

—¡ALLÁ VOY!

¡CLONC!

Pese a ser mucho más grande que él, no pudo frenarlo. ¡Era como si estuviera surfeando, con las rodillas dobladas, los brazos abiertos para no perder el equilibrio y cara de PÁNICO!

—¡NOOO-OOOOOOOO!

—chilló.

Mientras tanto, la jefa intentaba liberar a la gata.

—¡ESTATE QUIETA, VELMA!

Pero, cuanto más intentaba ayudarla, más se debatía el animal.

—¡MIAAAU!

El caso es que acabaron rodando las dos por el suelo del **LABORATORIO**.

De pronto, las mujeres intercambiaron una mirada desde los dos extremos de la estancia y comprendieron lo que iba a pasar, pero no podían hacer nada por impedirlo.

¡IBAN A CHOCAR!

Instantes después, se produjo la colisión…

… y salieron los cuatro despedidos en distintas direcciones.

¡PLOF!

¡CLONC!

¡PUMBA!

¡PLAF!

Perrobot acabó tumbado boca arriba, como una tortuga varada en la playa.

—¡GATO, QUEDAS DETENIDO! ¡GATO, QUEDAS DETENIDO! ¡GATO, QUEDAS DETENIDO!

Sus patas en forma de oruga seguían girando en el aire.

¡RACARRACARRÁ!

La jefa se le acercó a trompicones y logró por fin desconectar el interruptor.

—¡GATO, QUEDAS DET...
¡CLIC!

Mientras tanto, la profesora cruzó el **LABORATO-RIO** gateando y, con la ayuda de unas tijeras, liberó a Velma.

—**¡MIAAAU!**

La malvada criatura recompensó a su dueña con un zarpazo en la mano.

¡RAS!

—¡AAAY! —chilló la profesora.

—¿Qué ha pasado? —preguntó la jefa, que se acercó corriendo.

SENTARSE EN UN VÁTER HELADO

ESCUCHAR HEAVY METAL A TODO TRAPO

RECIBIR UN BALONAZO EN LA CABEZA

QUE SE TE CUELE UNA BOLA DE NIEVE POR DENTRO DE LA CAMISETA

PISAR UNA PIEZA DE LEGO DESCALZO

—¡Velma acaba de clavarme las uñas! —contestó, enseñándole la mano—. ¡Me ha hecho sangre!

—**¡GATA MALA!**

Por toda respuesta, Velma le enseñó los colmillos y soltó un sonoro bufido:

—**¡FUUU!**

Y entonces, como si quisiera demostrar que era no solo malvada, sino también **CRUEL**, le pegó un mordisco en la oreja a la jefa.

El dolor se salía de toda escala.

COMER UNA GUINDILLA A PALO SECO

CAER EN UNA MATA DE ORTIGAS

QUE TE PILLE LA PUERTA DEL ASCENSOR

QUE TE METAN UN LÁPIZ POR LA NARIZ

QUE UN GATO TE MUERDA EL LÓBULO DE LA OREJA

—¡AAARRRGHHH! —chilló la jefa, como haría cualquiera en su situación.

Velma se escabulló por la escalera de caracol, dejando a las dos mujeres solas en el **LABORATORIO**.

—Perrobot es más una amenaza que una solución —resopló la jefa—. ¡Por mí, puedes venderlo como chatarra!

—¡No, no, no! —suplicó la profesora—. Esto no es más que un tropiezo.

—¡Un tropiezo, dice! ¡Yo lo llamaría más bien un batacazo, y de los gordos!

—Verás, le falta una piececita del cerebro.

—¡Yo diría que le falta el cerebro entero!

—Esa pieza es la que controla su conducta. Tengo que desmontarlo para averiguar qué ha fallado.

—¡No puedo permitir que esa cosa vaya sembrando el caos por la ciudad! ¡Bastante caos tenemos ya en **TRAPISONDA**!

—¡Lo sé! Te prometo que pronto funcionará a la perfección.

—Mmm… —murmuró la jefa, que no las tenía todas consigo.

—¡FUUU! —concluyó Velma desde lo alto de la escalera.

La relación entre gata y perro había empezado de la peor manera posible.

CAPÍTULO OCHO

EL ARENERO

Esa noche, la profesora desmontó a Perrobot para averiguar la causa de ese arranque catastrófico. Solo cuando examinó el ordenador que el robot tenía por cerebro comprobó que estaba en lo cierto: le faltaba una pieza importante. Lo más raro de todo era que recordaba perfectamente haber colocado esa pieza en su sitio. Tal vez se había soltado y caído cuando Perrobot empezó a corretear de aquí para allá, pero no la encontró por más que registrara a fondo el **LABORATORIO**.

Resignada, subió como pudo la escalera de caracol, que ahora se tambaleaba a cada paso.

—¡Necesito una taza de café! —se dijo.

Mientras cruzaba la cocina arrastrando los pies como una zombi porque se caía de sueño, la profesora tropezó con el arenero de Velma…

¡CATAPLOF!

… y provocó una lluvia de arena absorbente.

En medio de aquella tormenta gris, algo destelló y cayó al suelo de la cocina con un ¡CLINC!

Intrigada, la profesora se agachó para buscar el diminuto tesoro. Enterrada entre la arena, encontró ni más ni menos que la pieza perdida del cerebro de Perrobot. Una placa base pequeña pero crucial que regulaba el comportamiento del robot.

—¿Cómo demonios habrá ido a parar al arenero de Velma? —se preguntó la profesora—. ¿Velma…?

La gata no dijo ni mu. Como de costumbre, acechaba entre las sombras y espiaba a la profesora desde lo alto de un armario de la cocina.

—¡Maldita sea! ¡Me ha pillado! —renegó para sus adentros. ¡Velma había robado la placa base como

un acto de SABOTAJE! De tanto espiar a su dueña mientras trabajaba, sabía que Perrobot era un invento complejo. Estaba hecho de miles de piezas diminutas que dependían unas de otras. Sabía que, como faltara una sola de esas piezas, Perrobot FUNCIO-NARÍA MAL. Y, por supuesto, eso fue justo lo que pasó—. ¡Pero me VENGARÉ de ese chucho de hojalata!

La profesora se levantó de un brinco con la pieza

en la mano y poco menos que voló escaleras abajo para volver al **LABORATORIO**.

—¡EUREKA! —exclamó.

Temblando de emoción, volvió a montar el robot y, con la precisión de un neurocirujano, colocó la placa base en su sitio. Conteniendo la respiración, volvió a darle al interruptor de **encendido**.

¡CLIC!

¿Y si la más ambiciosa de sus creaciones volvía a sembrar el caos?

Con un leve parpadeo, los ojos de Perrobot cobraron vida.

Luego movió la naricilla y la cola se le puso tiesa.

¡ZAS!

—Me llamo Perrobot —fue lo primero que dijo—. Bienvenida al futuro de la lucha contra la delincuencia. ¿En qué puedo servirle?

La profesora sonrió de oreja a oreja. ¡Perrobot era perfecto!

Mientras tanto, Velma había vuelto a plantarse en lo alto de la escalera.

—¡Ese maldito cacharro! —masculló—. ¡En MI casa! ¡Te destruiré, Perrobot! ¡Te destruiré, así sea lo último que haga en esta vida!

Entonces soltó una risita malvada, no porque la situación le pareciera divertida, ni mucho menos, sino porque era lo que había visto hacer a los villanos de las películas.

—JI, JI, JI...

Lo malo es que la risa se convirtió en un carraspeo y acabó regurgitando una bola de pelo.

¡JJJRRRP!

Alertado por el ruido, Perrobot dirigió la mirada hacia arriba.

—¡Un gato! —dijo—. ¡Me han programado para adorar a los gatos! ¡Hola, me llamo Perrobot! Y tú, ¿cómo te llamas?

—¡Velma! ¡Y no me han programado para adorar a los perros!

—¡Seguro que podemos ser amigos! —replicó el robot alegremente.

La profesora contemplaba la escena fascinada. No entendía nada de lo que se decían, pero le parecía maravilloso que pudieran comunicarse.

—¡Me encanta que os llevéis tan bien! ¡Ya veréis cuando se lo cuente a la jefa!

La profesora subió la escalera de caracol a la carrera, dejando a los dos animales solos.

—¡Encantado de conocerte, Velma! —dijo Perrobot—. ¿Cómo te…?

—¡Adiós, Perrobot! —lo cortó Velma.

Dicho lo cual, dio media vuelta y se marchó del **LABORATORIO**, cerrando de golpe la pesada puerta de madera.

¡PAM!

La llave estaba puesta en la cerradura, así que la giró a toda prisa…

¡CLIC!

… y se la tragó.

¡GLUP!

—¡Hasta nunca! —susurró.

Pero entonces vio que un rayo de luz incandescente atravesaba la puerta, recortando una silueta. Al cabo de unos instantes, la silueta se desplomó hacia delante, todavía humeando y dejando tras de sí un gran hueco con la forma de Perrobot.

¡PUMBA!

El robot salió por el hueco como si tal cosa, con el ojo de rayo láser todavía al **rojo vivo**.

—¡Me gusta este juego, Velma! —exclamó, tan contento—. ¿A qué jugamos ahora?

—¡FUUU! —bufó la gata.

CAPÍTULO NUEVE

UN PERRO VOLADOR

Después de lo sucedido la primera vez que Perrobot cobró vida, la jefa decidió que el robot pasaría por **LA ACADEMIA DE PERROS POLICÍA** para formarse, como cualquier otro cadete. Por más que la profesora le asegurara que su genial invento estaba listo para ingresar en las filas de la policía, la jefa se mantuvo en sus trece. Ni en sueños consentiría que patrullara las peligrosas calles de **TRAPISONDA** sin haber superado las pruebas de rigor.

Así pues, la pareja dejó atrás los silenciosos muros de piedra de *Villa Pasma*. Perrobot iba en el asiento trasero del coche.

—¿Cómo debo dirigirme a usted? —preguntó, mirando a la profesora—. ¿Es usted mi madre?

La científica no sabía qué contestar, así que la jefa se le adelantó.

—¡NO! —replicó con rotundidad—. Debes llamarla «profesora», y a mí «jefa».

—Buenos días, jefa. Buenos días, profesora.

—¡Buenos días, Perrobot! —contestó la profesora.

La jefa se limitó a soltar un suspiro.

La profesora le dio unas palmaditas en la cabeza.

—¡Buen chico! —le dijo.

La jefa meneó la cabeza como si no se lo acabara de creer.

—¿Qué pasa? —preguntó la profesora.

—¡Como si no lo supieras!

—¡Te prometo que no lo sé!

El coche cruzó la ciudad a toda velocidad y los portones de **LA ACADEMIA DE PERROS POLICÍA** se abrieron a su paso.

—De momento, quédate aquí detrás de las casetas con Perrobot —ordenó la jefa a su esposa.

—¡A sus órdenes! —contestó la profesora, imitando el saludo militar.

La jefa no estaba para bromas.

—Primero diré unas palabras y luego te haré una señal para que envíes a Perrobot.

—¿Puede hacer una entrada triunfal? —preguntó la profesora.

—¡Sin pasarse, por favor! ¡No quiero asustar a los cadetes!

—¡Por supuesto! —repuso la profesora, pero le guiñó un ojo a Perrobot sin que su mujer lo viera.

Mientras la jefa se alejaba, la profesora se inclinó para acariciarle la cabeza.

—¿Cómo no voy a darte mimos?

Perrobot arqueó el cuello metálico para notar mejor ese cosquilleo en las orejas.

—¿Esto lo notas? —preguntó ella.

—Sí.

—¿Y qué te hace sentir?

—No lo sé.

—¡Ay, qué tonta soy! —exclamó la profesora, apartando la mano.

—Profesora...

—¿Sí?

—¿Es usted mi madre?

La profesora se removió, incómoda, pero antes de que pudiera contestar...

¡RIIING!

... ¡Salvada por la campana!

Era la señal para que todos los perros se reunieran en la **plaza de armas**.

Como de costumbre, la **patrulla perdida** fue la última en llegar.

La profesora y Perrobot permanecieron ocultos mientras la jefa se subía a una caja para dirigirse al centenar de cadetes allí reunidos.

—Veamos, después del fiasco del último desfile de graduación... —empezó.

—¿A qué se refiere? —preguntó Chorlito.

—¡CHISSS! —mascullaron los otros perros con malos modos.

—… he decidido incorporar una nueva raza canina a las filas de los perros policía —continuó la jefa.

Se oyeron gruñidos de desconfianza entre los cadetes.

—GRRR...

¿Una nueva raza canina? ¿A qué se refería?

—¡Un perro capaz de llevar a cabo todas las tareas de un perro policía y muchas más!

Esta vez, los murmullos se convirtieron en ladridos de perplejidad.

—¡GUAU!

—¡Un perro que bien podría dejaros a todos sin trabajo!

¡Lo que faltaba! Los cadetes no podían seguir reprimiendo su indignación y rompieron a aullar al unísono.

—*¡AUUUUUUUU!*

—¡SILENCIO! —ordenó la jefa.

—¡AUUUUUUUUUUUU-UUUUUUUUUUUU!

Un agente de policía le tendió el megáfono.

—¡SILENCIO! —repitió.

Esta vez, los perros obedecieron.

—Ha llegado el momento de que conozcáis al perro policía del futuro, con el que espero poner fin de una vez por todas a la lacra de la delincuencia en la ciudad de **TRAPISONDA**. ¡OS PRESENTO A PERROBOT!

Todos los perros miraron a uno y otro lado en busca del tal superperro, pero no había ni rastro de él.

De pronto, un SONORO ZUMBIDO rasgó el silencio.

¡FIUUU!

Todos a una, cien pares de ojos miraron hacia arriba.

¡Un perro metálico surcaba el cielo como un meteorito!

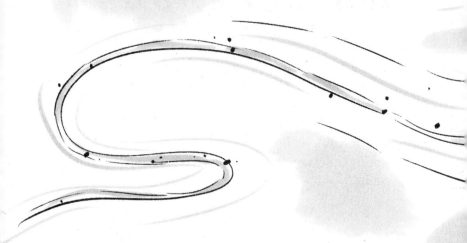

Había extendido las alas y atravesaba las nubes como una exhalación.

La profesora no cabía en sí de orgullo.

Los perros se quedaron boquiabiertos, con la lengua colgando hasta el suelo.

¡UN PERRO VOLADOR!

Nadie parecía más perdido que la **patrulla perdida**.

—¿Qué es esa cosa? —preguntó Chorlito.

—¡Ni idea! ¿Es un pájaro, un avión? —aventuró Flojeras.

—Parece una especie de perro —apuntó Canguelo.

—Un perro de lo más raro —replicó Flojeras.

—¡Ya lo tengo! —exclamó Chorlito—. ¡Me recuerda a una lavadora! Pero las lavadoras no vuelan, ¿verdad?

Hay que reconocer que Perrobot se parecía un poco a una lavadora voladora. Al fin y al cabo, estaba hecho con piezas sueltas de varias lavadoras.

—Pero ¿qué tonterías dices? ¿Para qué iba a volar una lavadora? —preguntó Canguelo.

—¿Para centrifugar a la velocidad del sonido? —aventuró Chorlito.

Perrobot descendió hacia la **plaza de armas** y pasó con un vuelo rasante sobre las cabezas de los cadetes sin disimular su orgullo.

A continuación, hizo un aterrizaje perfecto.

La profesora rompió a aplaudir entusiasmada.

—¡AHÍ ESTÁ MI PERROBOT! ¡ASÍ SE HACE, CAMPEÓN! —vitoreó mientras bailaba y aplaudía como una animadora.

—¡Querida, por favor! —le regañó la jefa—. ¡Contrólate!

—Perdón…

Las alas de Perrobot se plegaron, las ruedas empezaron a girar y fue a ocupar el lugar de honor junto a la jefa.

—¡Buenos días, jefa de policía! —saludó alegremente—. Si me lo permite, hoy está usted radiante.

—¡Será pelota! —comentó Canguelo.

—Vaya, muchas gracias —repuso la jefa, poniéndose roja como un tomate. Luego se volvió hacia los cadetes—. Tropa, ¡demos la bienvenida a PERROBOT!

Los perros se quedaron mudos. Nada más verlo, lo detestaron con todas sus fuerzas.

—¡Perrobot! —se burló Canguelo—. ¡Vaya nombre más tonto! ¿Y por qué no Robocán?

—¿O Chucho Mecánico? —sugirió Flojeras.

—¿Y por qué no Bárbara? —terció Chorlito—. Es un nombre estupendo para un perro. ¡Siempre he querido llamarme Bárbara!

—¡Perrobot multiplica por cien las **habilidades** de un perro normal! —continuó la jefa—. Corre más deprisa que vosotros, piensa más deprisa que vosotros y, lo más importante, cumple **órdenes** mejor que vosotros.

—¿Qué ordena, jefa? —preguntó Perrobot.

Estructura para escalar

Escalones

Túnel

La jefa miró a su alrededor y se detuvo en el circuito donde se hacían las carreras de obstáculos, una prueba de fuego para cualquier cadete.

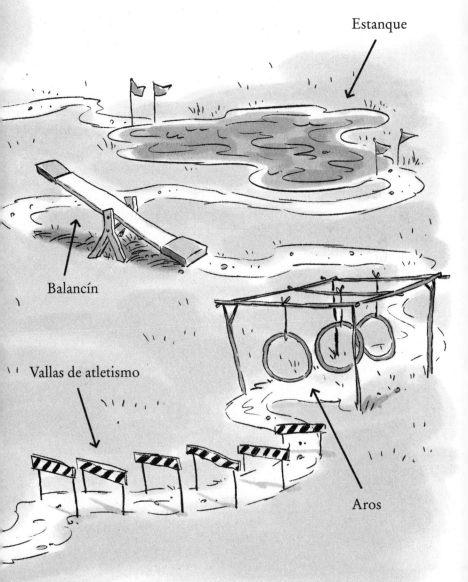

Estanque

Balancín

Vallas de atletismo

Aros

—¡Perrobot! Si eres tan amable, ¡enseña a tus compañeros cómo se fulmina una carrera de obstáculos!

—Con mucho gusto, jefa —replicó el robot.

Entonces se abrió una trampilla en el lomo de Perrobot por la que asomó un lanzacohetes.

¡CHAS!

El proyectil salió disparado y...

¡CATAPLUM!

¡El circuito de obstáculos saltó por los aires!

En un visto y no visto, las llamas lo engulleron todo.

—¡Misión cumplida, jefa! —exclamó Perrobot muy ufano.

—Esto no es exactamente lo que te había pedido… —dijo la jefa.

La profesora salió de su escondite.

—La próxima vez, intenta dar órdenes más específicas, querida… —sugirió.

CAPÍTULO DIEZ

DESAFÍOS DESAFIANTES

*E*se mismo día por la tarde, la jefa propuso una serie de retos a los perros policía. La profesora asistió a estos ejercicios como espectadora, rezando para que no se produjera otro incidente explosivo.

—Veamos, cadetes, el primero de los tres desafíos que os propongo hoy —anunció la jefa— consiste en perseguir a un ladrón.

—¡Entre todos, le enseñaremos a ese montón de chatarra quién manda aquí! —exclamó Flojeras.

—**¡GUAU!** —ladraron los demás perros, aplaudiendo la iniciativa.

—Bueno, cuando digo «entre todos», me refiero a todos vosotros —matizó Flojeras.

Un agente de policía al que le había tocado la ingrata tarea de hacer de ladrón se acercó al grupo caminando con torpeza porque llevaba puesto un aparatoso traje acolchado que lo hacía parecer un muñeco hinchable y que servía para protegerlo de las mordeduras de los perros durante la persecución. El «ladrón» salía con ventaja, hasta que la jefa tocaba el silbato para que los perros echaran a correr tras él.

¡PIII!

Los perros salieron disparados y, para su sorpresa, Perrobot siguió plantado en la línea de salida. Podía tomárselo con calma porque era el perro más veloz que haya pisado jamás la faz de la Tierra.

—¡DESPLEGAR ALAS! ¡DISPARAR COHETE PROPULSOR! —exclamó.

Al instante, Perrobot se transformó en una máquina alada y despegó con un zambombazo:

¡CATAPLUM!

Surcando el cielo a toda velocidad, sobrevoló a los perros en plena carrera.

¡FIUUU!

—**¡GUAU, GUAU, GUAU!**

Entonces volvió a abrirse una trampilla en el lomo del perro robot y de su interior salieron dos brazos mecánicos articulados.

¡CLANC!

Los brazos se alargaron y alargaron hasta que alcanzaron al «ladrón».

—¡LADRÓN! ¡QUEDAS DETENIDO! —proclamó Perrobot.

Los brazos mecánicos atraparon al hombre por la parte trasera del traje acolchado y se lo llevaron en volandas.

¡ZAS!

—¡ME RINDO! —chilló el agente de policía.

Los demás perros no podían hacer mucho más que contemplar boquiabiertos esa magnífica demostración de eficiencia policial. El hombre se mecía en el aire sacudiendo frenéticamente brazos y piernas, incapaz de escapar a las garras de Perrobot, que lo arrastró por las copas de los árboles…

¡RAS, RAS, RAS!

… hasta que finalmente lo dejó caer en brazos de un agente de policía que lo esperaba a ras de suelo.

¡PUMBA!

—¡Misión cumplida! —anunció Perrobot.

—¡BRAVO, CHIQUITÍN! —exclamó la profesora, que observaba desde la periferia—. ¡ASÍ SE HACE!

Los demás perros resoplaron de frustración, incluida la **patrulla perdida**. El robot los estaba haciendo quedar fatal.

—El siguiente desafío es bastante... —empezó la jefa, pero se quedó en blanco buscando la palabra adecuada—: ¡desafiante! Como veis, mis compañeros han apilado un centenar de maletas en medio de la **plaza de armas**. ¡El reto consiste en encontrar la única maleta que contiene en su interior un cartucho de dinamita!

Los perros olfatearon el aire, impacientes, tratando de identificar el olor de los explosivos.

—¡Esperad a mi señal!

¡PIII!, sonó el silbato.

—¿Me he perdido la caza al ladrón? —preguntó Flojeras, que acababa de incorporarse.

Los perros se abalanzaron hacia las maletas apiladas y empezaron a saltar de unas a otras, olisqueándolas todas con impaciencia.

¡SNIF, SNIF, SNIF!

Perrobot, en cambio, no se movió de su sitio.

Con su ojo de rayos X, escaneó las cien maletas en escasos segundos y no tardó en encontrar la gran maleta de color marrón que contenía el cartucho de dinamita.

¡TILÍN!

—¡ATRÁS! —ordenó.

Todos los perros se apartaron al momento. Canguelo, haciendo honor a su nombre, fue un paso más allá y empezó a excavar un agujero en la tierra para ponerse a salvo.

Entonces, con su ojo de rayo láser, Perrobot fulminó la maleta.

¡ZAS!

¡CATAPLUUUM!

Hubo una **terrible** explosión. Cuando la humareda se disipó, los cadetes descubrieron que estaban cubiertos de hollín.

—¡**GRRR!** —gruñeron.

—¡Otra misión cumplida! —anunció el robot.

—¡Y TOMA, Y DALE, PERROBOT ESTÁ QUE SE SALE! —canturreó la profesora, haciendo un bailecito de celebración.

—¿Quieres hacer el favor de morderte la lengua? —le espetó la jefa—. ¡Me estás dejando en evidencia delante de mis tropas!

—Perdona.

—Gracias.

—PERO ¡SUMA Y SIGUE, PERROBOT ES INVENCIBLE!

—¡SILENCIO! Veamos, cadetes, el desafío final es, en una palabra, muy desafiante.

—Eso son dos palabras —replicó la profesora.

—¡SILENCIO, HE DICHO! A lo que iba: una de las tareas de la policía consiste en mantener a salvo a los habitantes de esta ciudad, así que ahora deberéis rescatar a alguien que se está ahogando.

A una señal de la jefa, un helicóptero de la policía sobrevoló la academia.

¡FLAP, FLAP, FLAP!

Un viejo y destartalado coche patrulla se balanceaba, suspendido en el aire, por un cable que colgaba del helicóptero. Sentado al volante iba un agente con chaleco salvavidas al que le había tocado la ingrata tarea de fingir que se ahogaba. El helicóptero planeó sobre el estanque y, de pronto, soltó el cable.

¡CHAS!

El coche cayó al estanque con un sonoro ¡CHOF! Y empezó a hundirse al instante.

¡BLUP, BLUP, BLUP!

—¡Ja, chúpate esa! —exclamó Canguelo—. ¡Perrobot no puede mojarse, porque se oxidaría!

—¿Quién es ese tal Perrobot? —preguntó Chorlito, que no daba una.

La jefa hizo sonar el silbato.

¡PIII!

Canguelo metió el dedo meñique de una pata en el agua y llegó a la conclusión de que estaba demasiado fría para él.

Flojeras pensó que se merecía un descanso, porque tanto ajetreo lo tenía agotado.

Chorlito, por su parte, confundió un charco con el estanque y se metió de cabeza en él.

¡PLAF!

Pero todos los demás perros se zambulleron sin pensarlo…

¡SPLASH!

… mientras Perrobot se quedaba en tierra firme.

Los cadetes nadaron lo más deprisa que pudieron para alcanzar el coche antes de que se hundiera del todo.

—**¡ACTIVAR MODO SUBCANINO!** —ordenó Perrobot.

El robot empezó a transformarse de nuevo, esta vez en un sumergible.

¡ZIS, ZAS!

Las ruedas se replegaron, reemplazadas por dos aletas y una hélice.

¡CLANC!

—¡Transformación completa! ¡Listo para la inmersión!

—Si no lo veo, no lo creo… —musitó la jefa.

Entonces el robot se zambulló…

¡SPLASH!

… y avanzó a toda mecha bajo el agua.

¡ZUM, ZUM, ZUM!

Al mirar hacia arriba, Perrobot vio cientos de patitas peludas agitándose torpemente bajo la superficie, pero no podían medirse con el **SUBCANINO**, que los adelantó como una exhalación.

En cuestión de segundos, alcanzó el coche hundido, bajó hasta situarse debajo del chasis y se acopló a él gracias al poderoso electroimán que tenía en el vientre.

¡CHAS!

Como por arte de magia, la parte inferior del coche se quedó pegada al electroimán.

¡CLONC!

Entonces el **SUBCANINO** se transformó de nuevo en Perrobot. Las aletas y la hélice volvieron a desaparecer, las alas se desplegaron y el cohete pro-pulsor se puso en marcha.

¡CATAPLUM!

Justo cuando los perros estaban llegando al centro del estanque, el coche emergió del agua propulsado por Perrobot.

Los perros miraron hacia arriba mientras el coche los sobrevolaba a toda velocidad. Perrobot lo dejó intacto a los pies de la jefa. En su interior, había un agente de policía calado hasta los huesos, pero sano y salvo.

¡CLONC!

—¡Misión requetecumplida! —anunció.

La jefa no salía de su asombro.

—¡No es un simple perro, sino un SUPER-PERRO! —exclamó, y añadió, volviéndose hacia su mujer—: ¡Querida, eres un genio! ¿Podrías hacerme unos cien de estos? ¿Mil? No, ¡que sean diez mil!

—Quizá —contestó la científica—, pero este es muy especial.

—Yo creía que era único —dijo Perrobot.

—Y lo eres.

—De momento —añadió la jefa.

Mientras tanto, encaramada a un tejado cercano y equipada con prismáticos, Velma seguía con atención los movimientos de Perrobot.

—¡Hay que destruir ese cacharro! —dijo para sus adentros.

—¡Enhorabuena, Perrobot! —lo felicitó la jefa—. ¡Has superado todas las pruebas con la máxima puntuación!

La mujer alargó la mano para darle una palmadita en la cabeza metálica, pero lo pensó mejor y la retiró.

—¡Solo cumplo con mi deber! —replicó el robot—. ¡Bienvenida al futuro de la lucha contra la delincuencia!

—¡Oh, no! —exclamó Flojeras—. ¡Hasta tiene su propio lema!

—Cadetes —empezó la jefa—, hoy habéis sido testigos de algo **extraordinario**. Perrobot, el flamante perro policía del futuro, es el modelo que todos debéis imitar.

—¿Cuál de ellos era Perrobot, que me hago un lío? —preguntó Chorlito.

—Por consiguiente, he decidido que compartirá caseta con los cadetes que más pueden beneficiarse de su ejemplar compañía... ¡LA PATRULLA PERDIDA!

—¡¿QUÉ?! —exclamaron los tres perros al unísono.

—Perrobot, ¡este será el desafío más desafiante al que te hayas enfrentado nunca! ¡Convertir a estos tres cadetes desastrosos, el miedoso de Canguelo, el vago de Flojeras y la atolondrada de Chorlito en perros policía modélicos como tú!

—¡Esa tal **patrulla perdida** lo lleva claro! —exclamó Chorlito en susurros.

Canguelo y Flojeras negaron con la cabeza, desesperados. Chorlito era realmente el perro más tonto del mundo.

CAPÍTULO ONCE

¡ZAS!

Perrobot entró en la choza de la **patrulla perdida** sorteando bolas de pelo.

Era el lugar más sucio y desordenado de toda **LA ACADEMIA DE PERROS POLICÍA**. Pese a las estrictas órdenes de la jefa, que esperaba que los cadetes mantuvieran las instalaciones como nuevas, el suelo estaba cubierto de:

Pelo

Pelotas de tenis mordisqueadas

Collares rotos

Babas

Huesos

Correas partidas

Palos

Juguetes roídos

Hojas de diario hechas
jirones

Una zapatilla robada
(a saber de quién)

Nada más poner una rueda en la choza, el robot anunció:

—¡Este lugar es un peligro para la salud! Hay que limpiarla a fondo de inmediato.

La **patrulla perdida** protestó.

—¡Esa zapatilla no va a roerse sola! —exclamó Chorlito.

—¡Si nunca quitas el polvo, pasados los dos primeros años ya ni se nota! —le aseguró Flojeras.

—Me encantaría echar una mano, pero la suciedad me da grima —terció Canguelo.

Perrobot no estaba para monsergas. Su ojo láser se encendió con un resplandor rojo y empezó a disparar rayos luminosos.

¡ZAS! ¡ZAS!

¡ZAS! ¡ZAS!

En un visto y no visto, todas aquellas porquerías quedaron carbonizadas, reducidas a pequeñas pilas de cenizas desperdigadas por el suelo.

—¡NOOO! —gritaron los tres perros al unísono.

—Y ahora, **patrulla perdida**, ¡vamos con vosotros! —les advirtió Perrobot.

Los tres cadetes retrocedieron hasta un rincón con las patas en el aire, intentando esconderse detrás unos de otros. ¿Estarían a punto de sufrir el mismo destino que aquellos objetos?

—¡NO ME FULMINES! ¡FULMÍNALO A ÉL! —chilló Canguelo, señalando a Flojeras—. ¡ES MUCHO MÁS FULMINABLE!

Perrobot negó con la cabeza.

—No. No pienso fulminaros, sino enseñaros a ser mejores perros policía.

—¡Anda! ¿Así que para eso estamos en la academia? —preguntó Chorlito, sorprendida—. ¿Para ser perros policía? ¡Nadie me lo había dicho!

Los otros dos perros negaron con la cabeza. Si hubiese un premio al perro más tonto del universo, Chorlito se lo llevaría de calle.

—Me presento: soy Perrobot. ¿Y vosotros, compañeros, cómo os llamáis?

—Bueno, yo me llamo Canguelo —empezó el perro—, pero no somos tus compañeros.

Los otros dos integrantes de la **patrulla perdida** se lo quedaron mirando con los ojos como platos. ¿Adónde quería llegar?

—¿Y por qué no? —quiso saber Perrobot.

—¡Porque tú no eres un perro **de verdad**! —replicó Canguelo.

El perro robot enmudeció de repente. Por unos instantes, el constante *zumbido* y los chasquiditos que emitía dejaron de sonar.

—¿Que no soy un perro de verdad? Me temo que no puedo procesar ese dato —concluyó.

—Verás, nosotros somos perros **de verdad**: perseguimos pelotas, roemos palos, desenterramos huesos, lo ponemos todo perdido, nos tiramos pedos —explicó Canguelo.

—¡JA, JA, JA! —rieron a la vez Chorlito y Flojeras.

—¿Qué es ese sonido? —preguntó Perrobot.

—¡Risas! —contestó Flojeras—. Es lo que hacemos cuando algo nos parece gracioso.

—¿Y qué os ha parecido gracioso? —preguntó Perrobot.

—Que Canguelo haya dicho que nos tiramos pedos —respondió Chorlito—. ¡Los pedos siempre son graciosos!

—¿De verdad? ¿Por qué?

—¡Si no le ves la gracia a tirarse una traca de pedos, eres un caso perdido! ¡Nunca jamás serás un perro de verdad!

—¡Por supuesto que soy un perro! —replicó Perrobot—. ¡Si hasta lo dice mi nombre, Perrobot!

—¡No eres un perro de verdad! —insistió Canguelo—. ¡Y nunca lo serás!

Entonces pasó algo de lo más extraño. Una gota de aceite asomó a uno de los ojos de Perrobot.

—¿Qué es eso? —preguntó Chorlito.

—Parece una lágrima —apuntó Canguelo, sorprendido—. Pero no puede ser. ¡Perrobot no es un perro de verdad! ¡No puede estar triste! ¡Es imposible!

Por primera vez en su corta vida, Perrobot estaba sintiendo algo. Hasta entonces, solo había tenido pensamientos, pero de pronto algo se había agitado en lo más profundo de su ser: la tristeza. Era abrumador y desconcertante. Los sentimientos se agolparon en su interior. De pronto se sintió... avergonzado, como si necesitara ocultar su pena, así que hizo otra cosa que nunca había hecho hasta entonces: mentir.

—¡FALLO TÉCNICO! ¡FALLO TÉCNICO! ¡FALLO TÉCNICO! —repitió una y otra vez con su voz mecánica, como si hubiese entrado en bucle.

Para resultar más creíble, empezó a dar vueltas hacia atrás como si persiguiera su propia cola.

—¡FALLO TÉCNICO! ¡FALLO TÉCNICO! ¡FALLO TÉCNICO!

Perrobot volcó un bol…

¡CLONC!

… chocó contra la pared…

¡CATAPLOF!

… y se dio de bruces con Chorlito, que aterrizó en un charco de sus propias babas.

¡PUMBA!

¡CACHIS!

Tras dejar tanto desorden en la choza como había encontrado a su llegada, Perrobot salió rodando por donde había entrado.

CAPÍTULO DOCE

GATOS, GATOS Y MÁS GATOS

Esa noche, Velma convocó una reunión urgente de todos los gatos de la ciudad. Los MAULLIDOS resonaron por los tejados de TRAPISONDA para transmitir la hora y el lugar de la asamblea.

¡MIAU!

A medianoche, el parque de la ciudad se llenó de gatos, gatos y **más** gatos a la luz de la luna.

Velma había trepado a lo alto de una estatua. Encaramada a la cabeza de piedra y bañada por el resplandor de la luna, se dirigió a la multitud felina. Tal como en su casa, Velma daba por sentado que era la **mandamás** del lugar.

—¡Escuchad, gatos de **TRAPISONDA**! Como vuestra líder natural…

Por raro que parezca, los gatos callejeros la miraron con cara de perro.

—¿Por qué nos has hecho venir hasta aquí?

—¡Podría estar cazando ratones!

—¿Habéis visto ese pelo tan suave? ¿Qué sabrá esa? ¡Es una gatita faldera que nunca sale de su casa!

—¡MARRAMIAAAU! —rugió Velma, enseñando los colmillos y sacando sus afiladas garras. Por fin le prestaron atención.

—Como iba diciendo —continuó—, hay una nueva amenaza en **TRAPISONDA**, mucho más peligrosa que **todos** los criminales que vagan por sus calles. ¡Una amenaza que destruirá no solo nuestra existencia, sino también la de todos los gatos del mundo! ¡Si no hacemos nada, la raza gatuna está **condenada a la extinción!**

Todos los presentes se miraron entre sí, horrorizados. Todos salvo uno.

Un gato callejero con una enorme cicatriz que le cruzaba la cara salió de entre las sombras.

—¡Paparruchas! —gruñó.

—¿Se puede saber quién eres? —preguntó Velma.

—¿No sabes quién soy?

Velma negó con la cabeza.

—Yo mando en esta ciudad. Me llaman Caracortada. ¿Ves este tajo de aquí? Me lo hice peleando a solas contra una manada de lobos.

—¿Y qué pasó?

—Que no quedó ninguno con vida. Así que nada ni nadie podrá acabar conmigo, bonita. ¡Ni siquiera el perro más grande y feroz del mundo!

Velma volvió a negar con la cabeza.

—Siento tener que llevarte la contraria, Caracortada, pero se nota que no conoces a... ¡Perrobot!

Los gatos se quedaron perplejos.

—¿Un perro robot? —farfulló Caracortada.

Velma asintió en silencio.

—El perro más veloz, fuerte y listo de todos los tiempos.

—Entonces ¡tenemos que **destruirlo**!

—Ojalá fuera tan sencillo —replicó Velma—. El problema es que Perrobot es indestructible.

Los gatos se quedaron mudos de asombro, hasta que un vozarrón rasgó el silencio:

—¡Me sentaré encima de él!

Todos se volvieron para mirar a un gato grande como un armario apoltronado en una carretilla, su medio de transporte preferido.

—Me llamo Pavarotti, y os prometo que aplastaré a ese perro hasta dejarlo plano. Como este, ¡mirad!

Dicho y hecho: el gran gato sacó de debajo de su corpachón un perrito completamente achatado.

—De nada serviría con Perrobot, Pavarotti —replicó Velma—. ¡La profesora lo fabricó a prueba de bombas!

—Vale, pero ¿lo fabricó también a prueba de... bombos? —bromeó Pavarotti, dándose unas palmaditas en la panza.

—¡JI, JI, JI! —rompieron a reír los gatos.

—No es por hacerme el listo —intervino un gato viejo y esmirriado que se apoyaba en un árbol—. Me llamo Gatusalén, por cierto. Pero ¿ese tal robot no tendrá un **interruptor** para desconectarlo?

Se oyeron murmullos de aprobación. Parecía la solución más fácil, desde luego.

—¡Desconectad ese maldito cacharro y listos!

—¡Eso, desconectadlo!

—¡Para siempre!

—¡QUE NO! —chilló Velma para hacerse oír por encima del creciente clamor—. Si lo desconectamos, puede que venga alguien y lo conecte de nuevo, con lo que volveríamos a la casilla de salida. ¡No! Hay que destruir a Perrobot de una vez por todas.

—¡ESO, ESO! —gritaron los gatos al unísono.

—¿Y A QUÉ ESTAMOS ESPERANDO? —exclamó Caracortada.

—¡UN MOMENTO! —advirtió Velma a voces desde lo alto de la estatua—. Necesitamos un plan, porque no será fácil acercarnos a ese maldito cacharro.

—¿Por qué no? —preguntó Gatusalén.

—Porque ahora mismo Perrobot está en **LA ACADEMIA DE PERROS POLICÍA**.

El pánico se adueñó de los gatos.

—¡**LA ACADEMIA DE PERROS POLICÍA**!

—¡Será una
broma!

—Pero ¡si allí viven
algo así como cien perros!

—¡Yo no pienso acercarme a
ese lugar!

—¡Nadie sale de allí con vida!

Los gatos empezaron a escabullirse por las
calles oscuras.

—¡ESPERAD! —chilló Velma—. ¡VOL-
VED AQUÍ!

Pero de nada sirvió. Solo quedaron tres: Caracortada, Pavarotti y Gatusalén.

—¡MALDITA SEA! —exclamó
Velma.

—No te pongas nerviosa, bonita. Nosotros tres
nos bastamos y nos sobramos —le aseguró Caracortada.

— Solo tenemos que sacar a todos los demás perros de la academia —sugirió Gatusalén.

—Ya, pero ¿cómo? —replicó Caracortada.

—Somos gatos. Somos listos. ¡Algo se nos ocurrirá!

—Sobre todo a mí —concluyó Velma.

Se hizo el silencio por unos instantes.

—¡Comida! —exclamó Pavarotti.

—¡No me digas que ya vuelves a tener hambre! —le espetó Caracortada.

—El gran Pavarotti siempre tiene hambre. Pero se me ocurren unas criaturas todavía más glotonas que el gato más glotón del mundo…

—¡LOS PERROS! —gritaron los cuatro al unísono.

En menos que canta un gallo, urdieron un DIABÓLICO PLAN PARA DESTRUIR A PERROBOT.

CAPÍTULO TRECE

RATAEL, LA RATA

A solas en la **plaza de armas**, Perrobot reflexionaba.

—¿Cómo no voy a ser un perro de verdad? —afirmó con aire desafiante—. Si ladro, corro y me revuelco en el suelo…

—¿Con quién hablas? —se oyó de pronto.

—¿QUIÉN ANDA AHÍ? —preguntó Perrobot a gritos.

Por toda respuesta, sonó un silbido.

—¡EH, GRANDULLÓN! ¡Aquí abajo! —dijo la voz.

El robot miró hacia abajo y vio a una rata saliendo por la rejilla de desagüe.

—¡Una rata! ¡Tengo que fulminarla! —exclamó Perrobot, y su ojo de rayo láser se iluminó al instante, listo para disparar.

—¡No soy una rata! —mintió el roedor levantando las patitas delanteras, aterrado—. Solo soy un ratón más grande de lo habitual y tirando a feúcho.

—No puedo procesar ese dato —replicó Perrobot.

—¿Se puede saber qué dices?

Perrobot usó su ojo de rayos X para escanear a la rata y emitió su veredicto:

—No tienes aspecto de ratón, no suenas como un ratón y tampoco hueles como un ratón.

—Bueno, verás, los ratones venimos en muchas **formas** y medidas, tal como vosotros, los perros.

Al oír esto, Perrobot se puso en alerta.

—¿Acabas de llamarme perro?

—Bueno, es lo que eres, ¿no? —replicó la rata.

—No lo sé. Los otros perros dicen que no soy un perro de verdad… Y eso me ha puesto **triste**. Hasta me ha salido una lágrima.

Por una vez en su vida, la rata se quedó sin palabras. Se encaramó a la rejilla y echó un buen vistazo a la criatura mecánica.

—¿A santo de qué te han dicho eso? ¡Por supuesto que eres un perro! Tal como yo soy un ratón, ¿verdad? Por eso no hace falta que me fulmines.

Perrobot asintió.

—Me llamo Perrobot.

—¡No es que se estrujaran la sesera para ponerte nombre! Yo me llamo **Ratael**.

—¿Rata-el? Qué nombre más raro para un ratón.

—Tal vez, pero es que Ratonel sonaría un poco ofensivo, ¿no crees?

—Pues ahora que lo dices…

—Oye, lo que tienes que tener presente en esta vida es que puedes ser cualquier cosa que te propongas.

—¿Qué quieres decir, **Ratael**?

—Si deseas de **corazón** ser un perro, ¿por qué no vas a serlo?

—Bueno, para empezar, no tengo **corazón** —contestó Perrobot, apenado—. A lo mejor por eso los demás perros no me consideran uno de los suyos.

—Por supuesto que tienes **corazón** —replicó **Ratael**.

—¿Tú crees? Tengo cohetes y hasta un rayo láser, pero no sé si tengo **corazón**.

—Si eres capaz de sentir, si puedes llorar como los demás, ¡tiene que haber un **corazón** ahí dentro!

Dicho esto, plantó su patita mugrienta sobre el pecho del robot.

—Ahora mismo estoy sintiendo algo —dijo Perrobot—. Una especie de **cosquilleo calentito**.

—Apuesto a que eso es alegría. ¡Ahora que lo dices, yo también lo siento!

Perrobot reflexionó unos instantes.

—Puede que sienta ciertas cosas, pero sigo sin ser como todos los demás perros.

—¿Quién quiere ser como todos los demás? ¡Yo no soy un ratón normal y corriente, y tú tampoco eres un perro normal y corriente! Eso es lo que nos hace **especiales**. Venga, vuelve a entrar en esa choza con la cabeza bien alta y descansa un poco.

—¡Gracias, **Ratael**!

—Gracias a ti, Perrobot, ¡por no fulminarme!

—¡De nada!

—Presiento que este es el comienzo de una hermosa amistad —se despidió la rata, y se escabulló por el desagüe.

CAPÍTULO CATORCE

¡MIL MILLONES DE DÓLARES!

*P*errobot había superado todas las pruebas con tal facilidad que la jefa lo consideró listo para enfrentarse a las oscuras y peligrosas calles de **TRAPISONDA**. Con la colaboración de la profesora, decidió ponerlo en prácticas por un día, para regocijo de todos los demás cadetes, que estaban encantados de perderlo de vista, sobre todo la **patrulla perdida**, obligada a compartir choza con él.

—¡VIVAAA! —aplaudieron mientras lo veían partir en el asiento trasero del coche de la jefa.

—¡Hasta nunca! —dijo Canguelo.

—¡Ojalá no vuelvas! —añadió Flojeras.

—¿Quién se ha ido? —preguntó Chorlito.

Por las ventanillas del coche, Perrobot avistó por primera vez las calles de **TRAPISONDA**. Era un lugar lúgubre e inquietante, una ciudad que se caía a trozos y que estaba a punto de convertirse en escenario del mayor atraco jamás cometido.

En ese preciso instante, había **mil millones de dólares** circulando por **TRAPISONDA**. Habían salido de la casa de la moneda, donde el gobierno mandaba imprimir los billetes, y se dirigían al principal banco de la ciudad.

Por supuesto, los malhechores de **TRAPISONDA** estaban al tanto de este dato. Malos malhechores serían si no lo supieran.

Era una cantidad de dinero tan colosal que el presidente no creía que la policía pudiera custodiarlo sin ayuda, así que, en su inmensa sabiduría, había confiado esa tarea al ejército. La jefa de policía se lo había tomado mal, pero además le preocupaba que las cosas pudieran torcerse. Seguro que alguien intentaba robar esos **mil millones de dólares**, y ella conocía esas calles oscuras y peligrosas como la palma de su mano, de modo que quería estar en el meollo, allí donde estuviera la acción, con su flamante arma secreta… ¡PERROBOT!

Los curiosos se agolpaban en las aceras para ver pasar al convoy de vehículos blindados que transportaba el dinero. La jefa, la profesora y Perrobot se apostaron en una esquina. Un general muy alto con la pechera cargada de medallas avistó a la jefa y se le acercó a grandes zancadas.

—Lástima que la policía de **TRAPISONDA** no esté a la altura de las expectativas, ¿verdad, jefa? —le soltó—. ¡Menos mal que tenemos al ejército!

—Me alegro de verlo, general —contestó la jefa con frialdad.

—¡He planificado personalmente este dispositivo de seguridad! —se jactó el militar—. Esos **mil millones de dólares** están a salvo en un carro de combate.

—¡Un carro de combate!

—¡En esta ciudad no hay que confiarse! Además, el carro de combate va escoltado no por uno, ni dos, ni tres…

—¡Desembuche de una vez! —exclamó la jefa con un suspiro de exasperación.

—¡Cuatro! ¡Cuatro vehículos blindados! Van a derecha, izquierda, delante y detrás del carro para crear un muro protector.

—¿Y qué pasa si atacan desde arriba? No sería la primera vez que vemos un **supervillano** volador en **TRAPISONDA**.

—Ya lo he pensado. ¡Fíjese! —El general señaló al cielo, donde un helicóptero militar planeaba sobre la ciudad.

—¡Mi general, señor! —intervino Perrobot.

—¿Quién ha dicho eso?

—¡Aquí abajo, mi general, señor!

El general miró en su dirección.

—¡Anda! Te había tomado por una papelera de diseño.

—¡¿Cómo se atreve?! —exclamó la profesora.

—General —dijo Perrobot—, ¿y si atacan desde abajo?

El general resopló con gesto desdeñoso.

—¿Quién o qué diantres eres?

—Soy Perrobot, ¡el futuro de la lucha contra la delincuencia!

El general rompió a reír a carcajadas.

—¡JA, JA, JA! ¡Como si un buzón andante pudiera enfrentarse a los delin-

cuentes de **TRAPISONDA**! ¿Se ha vuelto loca de remate, jefa?

La mujer no se molestó en contestarle.

—¡Un ataque desde abajo! ¡Menuda tontería!

—Gracias a mi oído supersónico —continuó Perrobot—, he detectado movimientos bajo tierra.

—¡Este cacharro es la monda! —se burló el general.

—Sigo oyendo esos movimientos —insistió Perrobot.

—¡Puede que Perrobot esté en lo cierto, general! —le advirtió la profesora.

—¡Sí, claro, y puede que algún día las ranas críen pelo! ¡Atención, ahí llega el convoy! Justo a tiempo —añadió, mirando su reloj—. ¡Máxima puntualidad!

Los vehículos blindados y el carro de combate doblaron la esquina.

—¡Nada ni nadie puede detener este convoy! —proclamó el general.

Pero estaba equivocado. Peor aún: ofuscado. ¡Podría decirse incluso que estaba equifuscado!*

Y ahora, ¡bajemos al subsuelo!

Como siempre, los malos iban un paso por delante de los buenos. Y, en el caso del genio criminal conocido como **CEREBRÍN**, unas cuantas zancadas por delante. Lo llamaban así porque era el delincuente más listo de todos los tiempos. El cuerpo de **CEREBRÍN** había muerto décadas atrás, pero su sesera gigante sobrevivía flotando en una pecera con ruedas.

---

* Esta palabra es demasiado tonta hasta para el *Walliamsionario*.

A pesar de esos nombres un poco ridículos, **CEREBRÍN** y **MANAZAS** eran la pareja de malhechores más temida de todo el mundo. Ese día, se habían propuesto robar los **mil millones de dólares** y estaban dispuestos a todo con tal de echarles el guante (o, mejor dicho, el martillo).

EL PLAN

El plan de **CEREBRÍN** era sencillo pero brillante. Había ordenado a **MANAZAS** que excavara un túnel vertical usando sus martillos, sin descansar más que para tomar un sorbo de té o ir al baño, y la mujerona se había puesto manos a la obra, dale que te pego, hasta que el asfalto se había agrietado como una cáscara de huevo. Eso fue lo que Perrobot captó con su oído SUPERSÓNICO.

2

La idea era dejar una capa de asfalto tan fina que, cuando el pesado carro de combate pasara por la calle con los **mil millones de dólares**, se viera engullido de repente.

¡CATAPLOF!

3

El carro se precipitaría a la alcantarilla.

Entonces, usando cartuchos de dinamita, **CEREBRÍN** y **MANAZAS** abrirían un boquete en el vehículo iy se darían a la fuga con los **mil millones de dólares**!

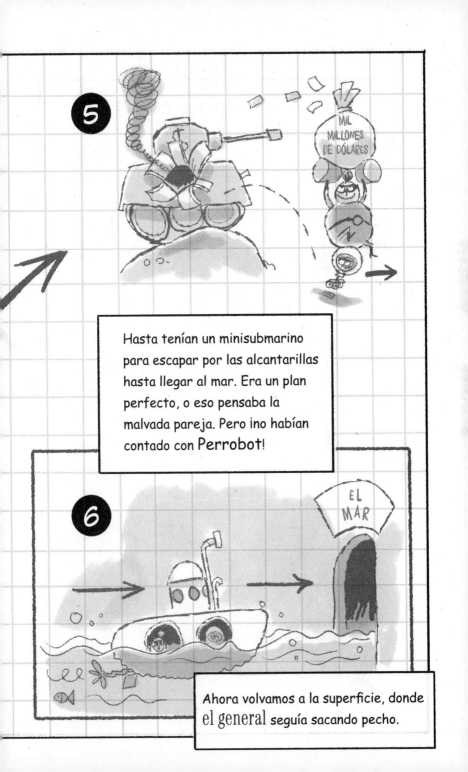

5

MIL MILLONES DE DÓLARES

Hasta tenían un minisubmarino para escapar por las alcantarillas hasta llegar al mar. Era un plan perfecto, o eso pensaba la malvada pareja. Pero ¡no habían contado con Perrobot!

6

EL MAR

Ahora volvamos a la superficie, donde el general seguía sacando pecho.

—¿Lo ves, Perrobot? Esos **mil millones de dólares** no podrían estar más…

Pero, antes de que pudiera decir «seguros», el carro de combate en el que viajaba el dinero se esfumó como por arte de magia.

¡CATACROC!

Había caído por un socavón gigante.

Los vehículos blindados frenaron de golpe.

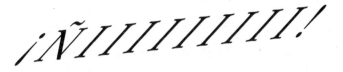

¡ÑIIIIIIIII!

La jefa miró al general como diciendo: «El que avisa no es traidor».

—¿QUÉ DEMONIOS...? —bramó el hombre, corriendo hacia el socavón por el que se había precipitado el carro de combate.

—¡Robo en curso! —anunció Perrobot, yendo a toda velocidad hacia la escena del crimen.

—¡Ten cuidado, bebé! —le advirtió la profesora.

La jefa se quedó estupefacta al oírla.

—¿Acabas de llamarlo «bebé»?

—¡Se me ha escapado!

Perrobot se asomó al profundo socavón. En la oscuridad, distinguió destellos luminosos y oyó un chisporroteo.

El general alcanzó a Perrobot.

—¡QUITA DE EN MEDIO! —tronó.

—¡ATRÁS, GENERAL! —le advirtió Perrobot—. ¡TIENEN DINAMITA!

Pero era demasiado tarde.

Hubo una enorme explosión bajo tierra.

¡CATAPLUM!

El socavón escupió una inmensa bola de fuego.

¡CHAS!

CAPÍTULO QUINCE

UN MAR DE MUGRE

Medio segundo después, Perrobot desplegó las alas al tiempo que se ponía en pie.

¡ZAS!

Con gran valentía, protegió al general lo mejor que pudo de la explosión.

¡BUUUUUUM!

Pero ambos salieron despedidos hacia atrás.

–¡ARGH!

El general dio con sus huesos en el suelo.

Y Perrobot fue a caer sobre él.

¡PUMBA!

—¡Quitadme a este maldito cacharro de encima! —chilló el general.

La explosión hizo temblar **TRAPISONDA** como si hubiese habido un terremoto. La jefa y la profesora se acercaron a trompicones.

—¡PERROBOT! —gritó la jefa.

—¡NOOO! —chilló la profesora.

—¡OLVIDAOS DE ESTA PAPELERA ANDANTE! —bramó el general—. ¡TENDRÍAIS QUE ESTAR PREOCUPADAS POR MÍ!

Las dos mujeres se pusieron manos a la obra para apartar a Perrobot de aquel hombre insufrible.

—¡HAY QUE DESTRUIR ESTA COSA! —chilló el general.

—Esta cosa —empezó la profesora— ¡acaba de salvarle la vida!

—Y ahora, con un poco de suerte —continuó la jefa—, ¡salvará sus **mil millones de dólares**! ¡Estás bien, Perrobot?

—¡Sí, jefa! —contestó el robot, aunque estaba cubierto de hollín a causa de la explosión.

—¡Estupendo! ¡Pues ve tras esos maleantes y recupera los **mil millones de dólares**!

Perrobot salió como una flecha hacia el boquete humeante que dividía la calle en dos.

¡RACARRACARRÁ!

Sin detenerse a pensar en su propia seguridad, saltó al agujero.

¡ZAS!

Al sacar la cabeza por encima del agua, vio el carro de combate con un boquete en el costado.

—¡Se han llevado los **mil millones de dólares**!

Entonces miró a su alrededor.

¡Solo pueden ser los malos!

—se dijo.

¡Activar modo **SUBCANINO**!

Propulsándose a través del agua mugrienta, ¡FUE TRAS ELLOS COMO UN TORPEDO! Cuando estaba lo bastante cerca para disparar, un resplandor rojo iluminó su **ojo**.

A lo lejos, distinguió un minisubmarino que avanzaba por el **MAR DE MUGRE**.

La hélice y las aletas se desplegaron al instante.

¡CHAS!

Entonces una voz procedente del submarino retumbó en la alcantarilla.

MANAZAS salió por la escotilla blandiendo sus enormes martillos. Saltó al mar de mugre...

¡CHOF!

... y se abrió paso hasta el robot.

Repito: ¡quedáis detenidos! —insistió Perrobot.

MANAZAS lo miró con una sonrisa malévola.

Alzó sus manos de martillo y las dejó caer sobre Perrobot con un tremendo...

Lo golpeó con tanta fuerza que Perrobot salió volando túnel abajo.

Por primera vez en su vida, sintió miedo.

—¡SOCORRO! —gritó mientras rodaba sin control por el mar de mugre.

Su voz resonó en aquel laberinto de galerías.

—¡SOCORRO!

Pero, por supuesto, nadie podía oírlo en lo más profundo del alcantarillado de la ciudad.

Nadie, salvo…

¡**Ratael**!

Como todas las ratas de **TRAPISONDA**, **Ratael** había hecho de las alcantarillas su hogar. Cuando oyó el grito desesperado de Perrobot, iba flotando en el mar de mugre sobre una cajita de cartón y mordisqueando un trozo de queso. Bueno, de algo que esperaba que fuera queso.

–¡SOCORRO!

Habría reconocido esa voz mecánica en cualquier lugar. ¡Era su nuevo mejor amigo, Perrobot! Ni corto ni perezoso, saltó de la caja de cartón al siguiente objeto que flotaba en el mar de mugre y le pareció capaz de aguantar su peso, y así sucesivamente, pasando por:

una lata, una botella y una pelota de tenis.

—¡PERROBOT! —llamó en la oscuridad.

—¡¿Ratael?!

—¡VOY A RESCATARTE!

La red de alcantarillado era un laberinto, pero **Ratael** la conocía como la palma de su pata.

Finalmente, después de cruzar varias galerías saltando de objeto en objeto, encontró a su amigo. El reluciente robot se había convertido en un amasijo metálico que flotaba boca abajo en el mar de mugre.

¡PLOP!

¡PLOP!

¡PLOP!

Su exoesqueleto metálico estaba abollado, la hélice toda torcida y una de las aletas se le había roto.

—Madre mía… —murmuró **Ratael**—. ¡Madre mía, madre mía!

—¡Gracias por venir! —farfulló Perrobot con la cabeza sumergida en el agua mugrienta. Con gran esfuerzo, se dio la vuelta para mirar a **Ratael**.

—¿Qué demonios te ha pasado? —le preguntó su amigo.

—Una viejecita con dos martillos por manos me ha dado una buena paliza.

Ratael se encogió de hombros.

—No es la respuesta que esperaba, pero sigue, por lo que más quieras…

—¡Y había un hombre que le daba órdenes a gritos desde un submarino!

—¡**CEREBRÍN**! —exclamó **Ratael**.

—¿Lo conoces?

—¡Que si lo conozco…! ¡Es uno de los mayores genios criminales que haya pisado jamás o, mejor dicho, que haya rodado jamás por las calles de esta ciudad!

—¿Rodado?

—**CEREBRÍN** es tan solo un cerebro.

—¿Un cerebro?

—Bueno, una gran sesera que flota en una pecera sobre ruedas.

—¡Esa gran sesera acaba de robar **mil millones de dólares**! ¡Y ahora mismo tanto él como su secuaz andan sueltos!

Ratael reflexionó unos instantes.

—Solo hay una manera de salir de esta ciudad por el subsuelo. Todas las galerías de las alcantarillas van a dar al río, así que habrán ido hacia allí. ¡VAMOS!

Dicho y hecho: **Ratael** se encaramó de un salto a la cabeza de Perrobot. Sin embargo, en vez de impulsarse hacia delante, el robot flotaba a la deriva, cabeceando en el mar de mugre, mientras la hélice daba vueltas con un gemido lastimero. Al estar torcida, no cumplía su función de propulsar a Perrobot.

¡BLUP, BLUP!

—¡FALLO TÉCNICO! ¡FALLO TÉCNICO!

—exclamó Perrobot, exasperado, pero no tardó en darse por vencido. La hélice se detuvo.

—¡Deja que te ayude! —se ofreció **Ratael**—. ¡Las ratas, quiero decir, los ratones, somos más fuertes de lo que parece!

El animal saltó de la cabeza de su amigo y se zambulló en el agua de la alcantarilla.

¡CHOF!

Con las patas delanteras intentó impulsar a su amigo metálico mientras sacudía las patitas traseras con todas sus fuerzas, pero de nada sirvió.

—¡No puedo!

—No es culpa tuya, **Ratael**, ¡sino mía! ¡Soy un inútil! —se lamentó Perrobot.

—¡No digas bobadas!

—No son bobadas. ¡Los perros de verdad tienen patas para nadar, no una hélice torcida y unas aletas abolladas!

—Eres especial, ¿recuerdas?

—¡No me siento nada especial!

—Pues lo eres, y cuando eso pasa lo que tienes que hacer es dar con una idea que también sea especial.

Ratael se encaramó a la cabeza de Perrobot, se llevó un par de patas a la boca y soltó un sonoro silbido.

—¡UÍÍÍ!

El sonido resonó en las galerías subterráneas. Luego, se hizo el silencio.

—¿Qué estamos esperando? —preguntó Perrobot.

—¡Chisss! —susurró **Ratael**.

Al principio era un murmullo apenas audible, pero fue **creciendo** en intensidad hasta convertirse en un **estruendo** ensordecedor. Una tarrina de helado apareció flotando en el mar de mugre. Transportaba a un grupo de ratas que se propulsaban hacia delante gracias a una batidora eléctrica de varillas.

¡FLOP, FLOP, FLOP!

Era como un barco con motor fueraborda.

—¿Quiénes son? —preguntó Perrobot.

—Unas ratas… quiero decir, ratones, amigos míos.

—Pero ¿qué dices? —repuso un roedor especialmente corpulento.

—¡Tú sígueme la corriente! —susurró **Ratael**—. Luego os lo explico. ¡Amigos míos! ¡Este perro necesita un remolque!

—¡Eso no es un perro! —replicó una rata que, pese a ser canija, tenía un vozarrón.

—¡No tenemos tiempo para andarnos con minucias! —atajó **Ratael**—. ¡Han robado **mil millones de dólares**!

—¡Eso da para mucho queso! —observó la rata canija.

—¡**CEREBRÍN** y **MANAZAS** están intentando escapar con el botín! —añadió Perrobot.

—¡Tiradme la cuerda! —ordenó **Ratael**—. ¡Tenéis que remolcarnos para que podamos ir tras ellos!

Desde la embarcación les tendieron una cuerda que **Ratael** sujetó en torno a la cabeza de Perrobot.

—¡Listos!

—¿Hacia dónde? —preguntó la rata más corpulenta.

—¡Por ahí! —contestó **Ratael**, señalando una pequeña galería lateral—. ¡Si nos damos prisa, podremos cortarles el paso antes de que lleguen al punto donde la alcantarilla desemboca en el río!

—¡Batidora a toda potencia! —ordenó la rata canija.

¡FLOP, FLOP, FLOP!

CAPÍTULO DIECISÉIS

GATROBACIAS

Mientras tanto, en la superficie, la ciudad sufría una oleada de delitos… ¡cometidos por gatos! Bienvenidos a…

LA PRIMERA FASE DEL PLAN MAESTRO DE LOS GATOS PARA DESTRUIR A PERROBOT:

ROBAR TODAS LAS CHUCHES DE PERRO DE TRAPISONDA.

Por orden de Velma, la banda de gatos se hacía pasar por un humano subiéndose a hombros unos de otros, como en un número de acrobacia.

O, mejor dicho, de gatrobacia.*

---

* Véase el *Walliamsionario*. Solo disponible en la sección de libros de saldo.

Pavarotti estaba en la base, y luego venían Gatusalén, Caracortada y, por último, Velma.

Una vez formada la torre, los gatos se enfundaron un abrigo largo, un sombrero y unas gafas de sol que Velma había robado a sus dueñas.

Ya disfrazados, avanzaron a trancas y barrancas hasta la principal tienda de artículos para mascotas de **TRAPISONDA**. Entonces Caracortada metió una de las patas en un bolsillo del abrigo y apuntó hacia delante como si empuñara una pistola.

Velma, que estaba en lo alto de la torre luciendo sombrero y gafas de sol, indicó por señas al dependiente que le diera todas las chuches de perro.

Sujetando el botín con cuatro pares de patas, la torre de gatos salió de la tienda como había entrado: a trancas y barrancas.

La escena se repitió en otra tienda de mascotas. Y en otra. Y en la siguiente. Velma y su banda no tardaron en requisar todas las chuches de perro de la ciudad.

Ahora lo que necesitaban era un vehículo, así que, cuando vieron un camión de reparto aparcado delante de una tienda con el motor al ralentí, se colaron en la cabina y arrancaron a toda velocidad. Velma iba al volante, Caracortada manejaba el acelerador, Pavarotti el embrague y el freno y Gatusalén el cambio de marchas.

—¡VUELVE AQUÍ! —gritó el conductor.

Pero los gatos se habían salido con la suya. Se fueron calle abajo, llevándose por delante todo lo que encontraron a su paso:

Al ser una gata, Velma nunca se había examinado del carnet de conducir. Ahora que lo pienso, tampoco había hecho prácticas. ¡Ni una sola!

Pero volvamos al subsuelo, a las entrañas de **TRAPISONDA**. Las ratas seguían remolcando a Perrobot por una laberíntica red de galerías menores...

—¡Izquierda! ¡Derecha! ¡Derecha otra vez! ¡Ojo a la curva! —indicaba **Ratael**.

Pronto llegaron a la GALERÍA PRINCIPAL, el túnel más ancho de toda la red de alcantarillado de **TRAPISONDA,** que desembocaba directamente en el río Pestilente. De allí al mar no había mucha distancia. La única posibilidad que tenían nuestros **héroes** de impedir que **CEREBRÍN** y **MANAZAS** escaparan con los **mil millones de dólares** robados era interceptarlos antes de que llegaran al río. Si el minisubmarino lograba salir a mar abierto, ya no habría manera de detenerlo.

Tras recorrer cientos de galerías oscuras, nuestros **héroes** vislumbraron a lo lejos una diminuta luz que se hizo cada vez mayor hasta convertirse en un resplandeciente círculo luminoso.

—¡Ya casi estamos! —exclamó **Ratael**.

—¿Cómo sabes que no es demasiado tarde? —preguntó Perrobot.

—¡Escucha! —dijo la rata grandullona.

Desconectaron el motor de la batidora eléctrica y se dejaron arrastrar por la corriente de agua mugrienta. A sus espaldas, en la galería principal, se oyó el zumbido del minisubmarino.

¡CHAS, CHAS, CHAS!

—¡El atajo ha funcionado! Los tenemos justo detrás —exclamó **Ratael**—. ¡Ahora solo tenemos que pensar cómo vamos a detenerlos!

—¡ABORDAMOS EL SUBMARINO Y ACABAMOS CON ELLOS A MORDISCOS! —proclamó la rata canija, para júbilo de las demás.

—¡ASÍ SE HABLA!

—¡Ya lo tengo! —intervino Perrobot—. ¡Sé cómo detenerlos sin necesidad de matarlos!

—¡QUÉ ABURRIMIENTO! —protestaron las ratas.

—¡Giradme!

Las ratas obedecieron, de manera que el trasero de Perrobot quedó vuelto hacia el círculo de luz.

—¡Apartaos! —les ordenó.

Y entonces…

¡ZAS!

Una malla de cuerda salió disparada de su trasero y se quedó pegada a la desembocadura de la galería principal, como si de una telaraña se tratara.

¡TOING!

—¡Eres un genio! —exclamó **Ratael**.

—¡A veces tengo buenas ideas! —concedió Perrobot.

El minisubmarino de **CEREBRÍN** seguía avanzando a todo vapor por el agua mugrienta, yendo derecho hacia ellos.

—¡CHAS, CHAS, CHAS!

—¡Apartémonos! —exclamó **Ratael**.

—¡Demasiado tarde! —replicó a gritos la rata grandullona.

—¡Preparaos para el impacto! —advirtió Perrobot—. Dentro de tres, dos…

Pero antes de que dijera «uno» el submarino se estrelló contra su embarcación.

¡CATAPUMBA!

Unos y otros se vieron propulsados hacia la red…

¡TOING!

… ¡y rebotaron con tanta fuerza que salieron disparados en la dirección contraria!

¡ZAS!

CAPÍTULO DIECISIETE

¡PARACAÍDAS!

Ahora, tanto los **héroes** como los villanos volaban a ras del agua mugrienta en la galería principal de las alcantarillas.

Perrobot veía el interior del minisubmarino a través de los ojos de buey. Al otro lado, **MANAZAS** ponía cara de pánico y hasta **CEREBRÍN** nadaba de aquí para allá en su pecera. No era de extrañar, dadas las circunstancias: ¡habían salido propulsados y retrocedían a cien kilómetros por hora!

Lo que la malvada pareja no podía ver, pero nuestros **héroes** sí, era que todos ellos iban derechos hacia el carro de combate que había transportado los **mil millones de dólares**.

¡CATAPLÁN!

La popa del minisubmarino se empotró contra el cañón del carro de combate.

¡CRONC!

El sumergible se plegó como un acordeón hasta quedar reducido a la mitad.

—¡Vamos a chocar! —gritó **Ratael**.

Pero Perrobot ya lo había previsto.

—¡ACTIVAR paracaídas! —ordenó.

Dicho y hecho: de su espalda brotó un paracaídas.

¡ZAS!

Perrobot, **Ratael** y todas las demás ratas frenaron hasta detenerse suavemente.

—¡Gracias, Perrobot! —exclamaron las ratas.

—¡Gracias a vosotros, amigos ratones! —contestó—. ¡Buen trabajo!

—¡SOCORRO! ¡ESTAMOS ATRAPADOS! —gritó **CEREBRÍN** desde el interior del minisubmarino.

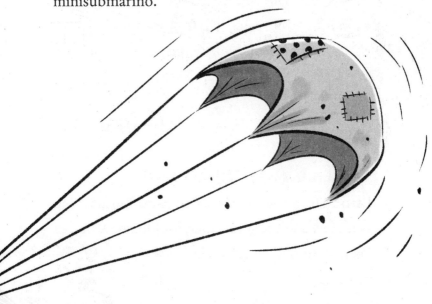

Con el taladro de la nariz, Perrobot abrió un agujero en el casco.

¡RATATATÁ!

Usando los brazos articulados, sacó a la malvada pareja del minisubmarino y, con **Ratael** todavía encaramado a su cabeza, activó el cohete propulsor.

¡CATAPLUM!

Todos salieron disparados por el socavón que el carro de combate había dejado en el asfalto y se elevaron hasta el cielo de **TRAPISONDA**.

La muchedumbre que se había apiñado alrededor del boquete los siguió con la mirada entre vivas y aplausos.

—¡HURRA!

Nadie aplaudía más fuerte que la profesora.

—¡AHÍ ESTÁ MI PERROBOT! ¡ASÍ SE HACE, CAMPEÓN!

La brillante inventora se puso a bailotear como una animadora delante de la multitud, pero esta vez nadie la detuvo.

—¡Y TOMA, Y DALE, PERROBOT ESTÁ QUE SE SALE!

El general se quedó BOQUIABIERTO viendo cómo Perrobot surcaba el cielo. La jefa se le acercó.

—¡Ese robot por sí solo ha hecho más que todos sus soldados juntos! —le espetó.

—Me llamo Perrobot. Bienvenidos al futuro de la lucha contra la delincuencia —anunció nuestro héroe, para regocijo de todos.

—¡HURRA!

Las cámaras captaron el instante mágico.

¡CLIC!

¡Había nacido una leyenda!

Como un auténtico **superhéroe**, Perrobot dejó a los malhechores sanos y salvos en el suelo.

¡PUMBA!

La jefa de policía los detuvo en el acto, aunque no tenía claro cómo ponerle las esposas a un cerebro que flotaba en una pecera.

—Excelente trabajo, Perrobot —lo felicitó.

—¿Estás herido? —le preguntó la profesora.

—No, no —mintió el robot.

Entonces el general se les acercó a grandes zancadas.

—¡ROBOTPERRO! —dijo con su vozarrón.

—No me llamo exactamente así, pero se le acerca bastante —replicó Perrobot.

—¿Dónde están los **mil millones de dólares**?

Perrobot giró la cabeza 360 grados, como un búho.

No había ni rastro del saco del dinero.

—¡Ratas de cloaca! —exclamó **Ratael**.

—¡Un momentito, mi general! —pidió Perrobot, y volvió a bajar a la alcantarilla con **Ratael** encaramado a su cabeza.

Quiso la suerte que las ratas no hubiesen llegado demasiado lejos, sobre todo porque iban cargadas con un enorme saco de billetes.

—¡DETENEOS EN NOMBRE DE LA LEY! —ordenó Perrobot.

—¡Ah, hola, amigo! —contestó el ratón canijo—. Justamente íbamos a devolverte los **mil millones de dólares**, ¿a que sí, chicos?

Las demás ratas contestaron a regañadientes:

—SÍ, SÍ, ¡POR SUPUESTO!

—Pero ¡si ibais en la dirección contraria! —replicó **Ratael**.

—¿De veras? ¡Vaya, seremos tontos…! ¡Por favor, no nos fulmines, Perrobot! ¡Asegúrate de poner esta tonelada de billetes a salvo en el banco y no dejes por nada del mundo que se gaste toda en queso!

Instantes después, el saco de billetes descansaba a los pies del general.

—**Mil millones de dólares**, mi general —anunció Perrobot.

—¡Ya era hora! —exclamó el hombre, y se agachó para coger el saco.

—Perdone, general —intervino la jefa—, pero debo decir que el ejército no ha estado a la altura de las expectativas.

—¡CÓMO SE ATREVE! —bramó el general.

—¡Ya lo creo que me atrevo! Este caso pasa a manos de la policía. O, mejor dicho, ¡de un perro policía muy especial! ¡Perrobot, asegúrate de que esos **mil millones de dólares** llegan intactos al banco de **TRAPISONDA**!

—¡A la orden, jefa! —contestó Perrobot, cogiendo el saco con sus brazos articulados.

—¡Será un placer, jefa! —añadió **Ratael**, haciendo el saludo militar.

¡CATAPLUM!

Antes de que el general pudiera protestar, allá que se fueron los dos, sobrevolando **TRAPISONDA** como una exhalación mientras el saco de billetes rebotaba en los tejados de los rascacielos.

¡BOING! ¡BOING! ¡BOING!

CAPÍTULO DIECIOCHO

BANQUETE NOCTURNO

A ras de calle, los gatos se dirigían a toda pastilla hacia **LA ACADEMIA DE PERROS POLICÍA** en el camión robado.

¡BRRRUM!

He aquí la **SEGUNDA FASE** DE SU PLAN MAESTRO PARA DESTRUIR A PERROBOT:

> USAR LAS CHUCHES ROBADAS PARA TENDER UNA TRAMPA A TODOS LOS CADETES DE LA ACADEMIA DE PERROS POLICÍA Y DEJAR A PERROBOT INDEFENSO.

Velma seguía sentada al volante, repartiendo órdenes a sus tres cómplices para que controlaran la palanca de cambios y los pedales.

—¡Embrague! ¡Cuarta! ¡Semáforo rojo! ¡Acelera!

No hace falta que os diga que hubo unas cuantas colisiones por el camino.

Para cuando llegaron a la academia, se había hecho de noche. Velma apagó el motor y recorrió el último tramo del camino en punto muerto para no despertar a los perros.

Con mucho sigilo, los gatos se apearon del camión y se acercaron de puntillas a un árbol cuyas ramas colgaban por encima del **patio de armas**, treparon sin esfuerzo por el tronco y saltaron al patio. Una vez dentro, abrieron el gran portón de acero sin hacer ruido y empujaron el camión hasta dejarlo encajado en el hueco de la entrada.

Entonces bajaron la rampa del camión y empezaron a descargar todas las bolsas de chuches para perros.

Con sus afiladas garras, iban rasgando las bolsas.

¡RAS!

Luego esparcían las chuches por el **patio de armas** en regueros que llevaban directamente al camión.

A Velma se le ocurrió olisquear una de aquellas bolitas marrones.

—¡Qué asco! —susurró.

Pavarotti se metió una en la boca.

—Después de las primeras cien —farfulló, masticando—, parecen menos **vomitivas**.

Cuando acabaron de esparcir todas las chuches, los gatos se dedicaron a abrir la puerta de las casetas donde los perros dormían a pata suelta después de una dura jornada de adiestramiento.

—¡JJJJJJRRRRRR!... PFFF...

La única caseta que pasaron por alto fue la pequeña choza destartalada que quedaba al otro lado del **patio de armas**, donde vivía la **patrulla perdida**.

Cuando acabaron de abrir todas las puertas, volvieron corriendo al camión. Pavarotti era el que tenía la voz más grave y **potente**, así que fue el encargado de anunciar a pleno pulmón:

—¡CHUCHES!

Si hay algo capaz de despertar a cualquier perro es la palabra «CHUCHES».

Los cien cadetes se espabilaron de golpe y salieron corriendo al **patio de armas**, donde se pusieron a engullir chuches como locos.

¡ÑAM! ¡ÑAM!
¡ÑAM!

¡Aquello era un banquete nocturno de proporciones épicas!

¡Nunca habían visto tantas chuches juntas!

¡Era como si todos sus sueños se hubiesen hecho realidad a la vez!

¡Cómo iban a sospechar que esos sueños estaban a punto de convertirse en una gran *PESADILLA*!

Los regueros de chuches los llevaron directamente a la parte trasera del camión. Sin detenerse a pensar en nada que no fuera su estómago, los perros subieron la rampa a la carrera y se apiñaron en su interior mientras se atiborraban de chuches.

¡ÑAM! ¡ÑAM! ¡ÑAM!

Cuando los tenían a todos dentro, Caracortada saltó desde el tejado del camión llevándose consigo la puerta de persiana, que se cerró de golpe.

¡CHAS!

Ahora los perros estaban **atrapados.**

—¡ARRANCA! —ordenó Caracortada, golpeando el lateral del camión, y se subió de un salto a la cabina.

Gatusalén movió la palanca de los cambios mientras Pavarotti presionaba el embrague.

¡CLANC!

Entonces Pavarotti pisó a fondo el pedal del acelerador.

¡PLOF!

Velma iba al volante con una sonrisa siniestra.

En la parte trasera del camión, los perros aullaron desesperados.

¡AUUU! ¡AUUU! ¡AUUU!

Pero no podían hacer nada por detener a los **malvados** gatos.

El camión no tardó en desaparecer, engullido por la oscuridad.

CAPÍTULO DIECINUEVE

¡PERRAPTADOS!

La **patrulla perdida** no se enteró de nada. Los tres perros dormían como troncos en su choza, lejos de la acción. Solo cuando Perrobot regresó por fin de su increíble aventura bajo tierra se despertaron y descubrieron lo que había pasado.

—¿Dónde están todos los demás? —preguntó, irrumpiendo en la choza. Estaba como nuevo después de pasar por las cariñosas manos de la profesora en el LABORATORIO.

Canguelo, Flojeras y Chorlito no se alegraron demasiado de verlo, y menos a esa hora intempestiva, pues aún no había salido el sol.

—¡Largo de aquí, papelera andante!

—¡Estamos intentando dormir!

—¡Que alguien lo desconecte!

Pero Perrobot no se inmutó.

—Acabo de registrar las casetas una, dos y hasta tres veces, y están todas vacías. ¿Por qué?

—¡Ya lo tengo! —exclamó Chorlito. Los demás la miraron, extrañados.

—Ah, ¿sí?

—¡Porque no hay perros dentro!

El robot levantó la voz.

—Eso ya lo sé, pero ¿por qué no hay perros dentro?

—A lo mejor han salido a hacer pipí… —aventuró Canguelo, que no pensaba salir a la calle en plena noche para averiguarlo.

—¿Todos al mismo tiempo? —replicó Perrobot.

—¡Aún no es de día! —protestó Flojeras, bostezando—. ¡Si no duermo mis horas, me salen ojeras!

—¡YA ESTÁ BIEN, **patrulla perdida**! —bramó Perrobot—. ¡TODOS EN PIE AHORA MISMO!

Pero los perros se quedaron exactamente donde estaban. Por si fuera poco, Flojeras levantó un poco una pata trasera y soltó una ventosidad. Una de esas muy largas y lentas que suenan como un abejorro en pleno vuelo.

ZZZZZZZZZZZZZZZZZZZZZZZZZZZZZZZZZZZZZ

—¡Activar sirena! —ordenó Perrobot.

Al instante, la luz azul de su cabeza empezó a destellar y se oyó un ruido estruendoso.

Los tres perros odiaban ese sonido.

—¡ARGH!

—¡QUÍTALA!

—¡MIS OÍDOS! ¡MIS POBRES OÍDOS PERRUNOS!

—¡Sirena! ¡Más fuerte! —indicó Perrobot.

¡UUUH, UUUH! ¡UUUH, UUUH! ¡UUUH, UUUH!

El ruido era **ensordecedor**.

—¡Vale, vale! —gritó Canguelo—. ¡Ya lo hemos pillado, Perrobot! ¿Qué es lo que quieres?

—¡Desactivar sirena!

Se hizo el silencio de repente.

—¡Todo indica que los demás cadetes de policía han sido perraptados!

—¿Perraptados? —farfulló Canguelo.

—¿PERRAPTADOS? —exclamó Flojeras.

—¡¿PERRAPTADOS?! —se indignó Chorlito—. ¡Qué horror! —Se quedó pensativa unos instantes y luego añadió—: Perdón, pero ¿qué significa «perraptados»? ¿Que todos los perros se han ido a bailar rap?

—¡NO! —estalló Perrobot—. ¡SIGNIFICA QUE SE LOS HAN LLEVADO EN CONTRA DE SU VOLUNTAD!

Chorlito negó con la cabeza.

—Qué horror… —murmuró, y luego añadió con aire intrigado—: ¿Qué significa «en contra de su voluntad»?

—Pues que no querían irse.

—¿Adónde?

—No lo sé —contestó Perrobot—. Eso es lo que NOSOTROS tenemos que averiguar.

La **patrulla perdida** se lo quedó mirando con cara de pasmo.

—¿NOSOTROS? —preguntaron al unísono.

Mientras tanto, los gatos cruzaban **TRAPISONDA** a toda pastilla, yendo hacia *Villa Pasma*.

¡BRRRUM!

¡Atención! He aquí la *TERCERA FASE* DEL PLAN MAESTRO DE LOS GATOS PARA DESTRUIR A PERROBOT:

¡SECUESTRAR A LA JEFA Y LA PROFESORA!

Velma adelantó a todos los vehículos que se encontró por el camino y arrolló a los que no se apartaron a tiempo.

¡*CATACLONC*!

Al poco, había una decena de coches patrulla persiguiendo al camión.

¡UUUH, UUUH! ¡UUUH, UUUH! ¡UUUH, UUUH!

Velma pegó un volantazo a la derecha y los expulsó a todos de la calzada.

¡CATAPLÁN!

¡CRAC!

¡CATAPUMBA!

En la parte trasera del camión, los perros no paraban de aullar...

—**¡AUUU! ¡AUUU!**

... mientras rebotaban de aquí para allá.

Un poco más adelante, varios coches patrulla habían cortado la calle.

Velma ordenó a Pavarotti, que controlaba el acelerador:

—¡Pisa ese pedal a fondo, grandullón!

Pavarotti descargó todo su peso sobre el pedal y el camión poco menos que despegó.

¡BRRRUM!

El vehículo se precipitó a toda pastilla hacia la línea de control policial.

—¡MÁS VELOCIDAD!

Gatusalén saltó sobre la espalda de Pavarotti, que pisó a fondo el pedal del acelerador.

¡BRRRUM!

Los agentes de policía se apartaron de un salto…

… segundos antes de que el camión se llevara por delante los coches patrulla…

¡CATAPUMBA!

… que salieron volando…

¡FIUUU!

… y cayeron al suelo como latas de refresco.

El camión se perdió en la distancia. Velma le estaba cogiendo gustillo a la velocidad. Tanto que, en vez de detenerse tranquilamente delante de **villa Pasma**, empotró el camión contra la casa.

¡CATAPLÁN!

La preciosa fachada de la vieja mansión se vino abajo con estrépito.

¡CATACROC!

Sus pobres habitantes, la jefa y la profesora, se despertaron sobresaltadas cuando la pared del dormitorio se desplomó ante sus ojos.

—¡TERREMOTO! —exclamó la jefa, pues parecía la única explicación posible para que la casa se derrumbara de repente.

La profesora se aferró a su mujer, muerta de miedo.

—¿O nos habrán tirado una bomba? —aventuró.

Una gran nube de polvo y escombros las engulló y rompieron a toser.

—¡COF, COF!

Entre la polvareda, distinguieron una silueta familiar.

—¡¿VELMA?!— exclamaron las dos a la vez.

Encaramada al tejado del camión, la malvada felina las miraba con evidente regocijo.

—¡JI, JI, JI! —reía sin disimulo.

CAPÍTULO VEINTE

¡SUPERGATOS!

—¡**E**SO ES! —exclamó Perrobot, de vuelta en la choza de la **patrulla perdida**—. ¡NOSOTROS! Tenemos que unir fuerzas para rescatar a los compañeros perraptados. Quiero presentaros a un amigo que me ha ayudado a luchar contra los delincuentes.

Y entonces dijo, levantando la voz:

—¡Ya puedes salir!

—¿Hay algún perro de carne y hueso? —se oyó una vocecilla al otro lado de la puerta.

—¡Solo tres!

—¿Estás seguro de que no me harán nada?

—Por supuesto —respondió Perrobot, y volviendo la cabeza hacia la **patrulla perdida**, añadió—: ¿No le haríais daño a un ratón, a que no?

—¿A un ratón? ¡Claro que no! —contestó Canguelo.

—Son adorables —opinó Flojeras.

—¡No se me ocurriría! —exclamó Chorlito.

—Bien —dijo Perrobot, y volvió la cabeza hacia la puerta—. ¡Ya puedes entrar, **Ratael**!

Los tres perros se miraron entre sí. Hasta Chorlito pensó que era un nombre extraño para un ratón.

Ratael entró tímidamente en la choza.

—¡Hola! ¡Soy **Ratael**!

Los tres perros intercambiaron otra mirada.

—No me cabe duda de que nos llevaremos todos la mar de bien —afirmó Perrobot.

—¡RATA A LA VISTA! —chilló Canguelo.

¡Los tres perros se pusieron como LOCOS! Empezaron a ladrar y a perseguir al roedor por toda la choza.

—¡PARAD! —ordenó Perrobot.

Pero no podían. La presencia de esa criatura había despertado al cazador que llevaban dentro.

—¡Solo soy un ratón grandote y tirando a feo! —gritó **Ratael**.

De nada sirvió. Los perros se daban encontrona-
zos con las paredes mientras lo perseguían.

¡PUMBA!

¡CRAC!

¡PLOF!

¡La choza no tardó en venirse abajo!

¡CATAPLUM!

Ratael no tenía dónde esconderse, así que se
encaramó de un salto a la cabeza de Perrobot.

—¡PERROBOT! ¡DILES QUE PAREN!
—suplicó.

PAAAM

—¡ALTO! —ordenó Perrobot, y su ojo disparó un rayo láser a modo de advertencia.

¡ZAS!

Se oyó un chisporroteo y salió humo del suelo.

¡TZZZT!

Y por fin hubo silencio, solo interrumpido por los gruñidos de los tres perros.

—¡GRRRRRRRRR!

Su única ambición en la vida era perseguir a esa rata. ¡Nada más importaba en el mundo, ni en ese instante ni nunca!

—¿Cómo podéis hacerle eso a un pobre e indefenso **ratón**? —les regañó Perrobot.

La **patrulla perdida** intercambió una mirada de incredulidad.

—**¡Es una rata!** —exclamó Canguelo—. ¡Y los perros perseguimos a las ratas! ¡No podemos evitarlo!

—¡Si lo dice hasta su nombre! —señaló Flojeras—. **¡Rata-el!**

—¡Hasta yo sé que **Ratael** es una rata, y eso que tengo cabeza de chorlito! —concluyó Chorlito.

—¡Dicho sea sin insultar a los chorlitos! —comentó Canguelo.

—¡Yo os digo que es un ratón! —insistió Perrobot.

—Hacedle caso —añadió **Ratael**.

—¡Ya basta de hacer el tonto, **patrulla perdida**! —dijo Perrobot—. Nos espera una misión importante: ¡rescatar a nuestros compañeros!

—Puede que eso no sea tan buena idea, visto lo visto… —murmuró **Ratael**, mirando a la **patrulla perdida** con recelo.

—¿Nuestros compañeros, dices? —se burló Canguelo.

—Claro —replicó Perrobot sin pensarlo.

Canguelo puso los ojos en blanco. Tanto él como sus dos amigos peludos rompieron a reír a carcajadas.

—¡JA, JA, JA!

—¡MENUDO PERRO ESTÁS TÚ HECHO! —exclamó Canguelo.

Perrobot clavó los ojos en el suelo.

—¡Es más perro de lo que tú serás nunca! —le espetó **Ratael**.

Las carcajadas enmudecieron de golpe, y los tres cadetes cambiaron la risa por muecas de enfado.

Perrobot alzó la cabeza metálica.

—¡SEGUIDME! —exclamó, y se puso en marcha sin esperar respuesta—. ¡**Patrulla perdida**, se os presenta la oportunidad de ser **héroes**, al fin!

—¿Tenemos que hacerlo...? —preguntó Canguelo.

—¡AFIRMATIVO!

Los villanos les llevaban mucha ventaja. ¡Habían pasado a la FASE CUATRO del PLAN MAESTRO DE LOS GATOS PARA DESTRUIR A PERROBOT!

¡CONSEGUIR SUPERPODERES!

Los gatos obligaron a la profesora a fabricar exoesqueletos blindados para ellos, igualitos al de Perrobot. Si se negaba, su querida esposa, la jefa de policía, tendría un final espantoso. Velma le comunicó todo esto con un bolígrafo en ristre y garabateando una serie de dibujos...

… ¡lo bastante horribles para que la profesora entendiera perfectamente lo que se proponía hacer!

—¡NOOOOOO! —exclamó.

Villa Pasma se alzaba junto a un acantilado. Los gatos habían dejado a la jefa maniatada al volante del camión, que habían detenido al borde mismo del precipicio.

Bastaba un empujoncito para que los perros y ella se precipitaran al vacío.

Lo dicho: un final espantoso.

La profesora era un hacha en lo suyo, así que los exoesqueletos blindados no tardaron en estar listos. Los gatos la vigilaban de cerca en el **LABORATORIO** de **Villa Pasma,** listos para usar sus afiladas garras si intentaba hacer de las suyas.

—¡Pronto tendré **poderes letales** con los que podré destruir a PERROBOT! —anunció Velma a los otros tres gatos.

—¡**Todos** tendremos superpoderes! —exclamó Caracortada.

—¡Cuatro contra uno! —añadió Gatusalén.

—¡Perrobot ya puede darse por muerto! —proclamó Pavarotti.

Entonces Velma se volvió hacia la profesora y le enseñó los colmillos.

—**¡FUUU!**

—¡Trabajo lo más deprisa que puedo! —protestó la profesora mientras acoplaba un cohete propulsor a una lavadora.

De vuelta en **LA ACADEMIA DE PERROS POLI-CÍA**, Perrobot cruzaba el **patio de armas** seguido por la **patrulla perdida**.

—¡Chuches! —exclamó Canguelo—. Las huelo, pero no las veo…

—¡Ni una! —se lamentó Flojeras.

—¿Alguien ha dicho «chuches»? —preguntó Chorlito.

Perrobot estaba juntando todas las piezas del rompecabezas en su cerebro metálico como si fuera un auténtico **sabueso**.

—Parece que alguien dejó un rastro de chuches para engatusar a los perros y perraptarlos… —aventuró.

—¡No es justo! —farfulló Chorlito—. Ojalá me hubiesen perraptado a mí también.

—Pero ¿adónde los han llevado? —se preguntó Perrobot.

Desde la atalaya que era la cabeza del robot, **Ratael** escudriñó el suelo en busca de pistas.

—¡Huellas de neumáticos! —exclamó.

—¡Buen trabajo, **Ratael**! —lo felicitó Perrobot—. ¡Son neumáticos de camión! ¡Solo nos queda seguir las huellas para descubrir dónde se los han llevado! ¡Por aquí!

Perrobot echó a rodar calle abajo.

¡RACARRACARRÁ!

Los integrantes de la **patrulla perdida** lo vieron marcharse.

—¡Uy, qué tarde se me ha hecho! —dijo Flojeras—. Ya me diréis cómo acaba todo. Necesito echar una cabezada, así que os alcanzaré a la hora de la comida, o mejor aún, ¡de la merienda!

Los otros dos intercambiaron una mirada y lo empujaron hacia delante con el hocico.

—¡De eso nada, Flojeras! —repuso Canguelo—. ¡Estamos juntos en esto!

Mientras tanto, en Villa Pasma, la profesora había terminado los exoesqueletos de los gatos.

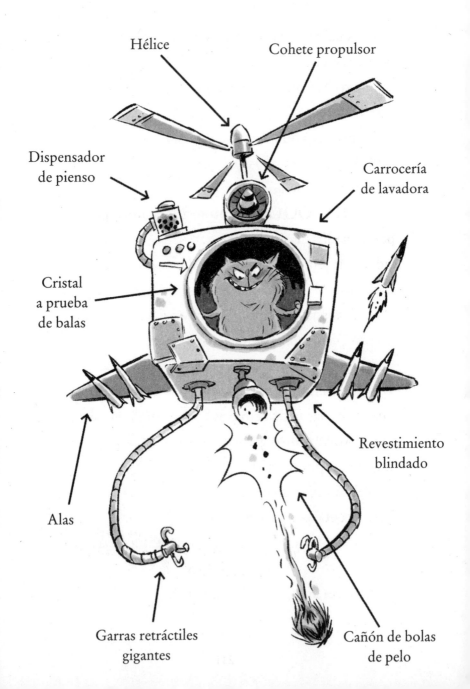

PERROBOT

Hélice

Cohete propulsor

Dispensador
de pienso

Carrocería
de lavadora

Cristal
a prueba
de balas

Revestimiento
blindado

Alas

Garras retráctiles
gigantes

Cañón de bolas
de pelo

Los cuatro gatos se enfundaron los exoesqueletos sonriendo con malicia.

Ya no eran simples felinos, ¡sino SUPERGATOS!

Lo primero que hicieron fue salir volando del **LABORATORIO**, llevándose a la pobre profesora colgada de sus garras metálicas.

—¡NOOOOOO! —protestó la mujer, pero no podía medirse con los supergatos, que la sentaron al lado de la jefa en el camión y la ataron al asiento del copiloto.

—Y nosotras que pensábamos pasar una velada tranquila en casa… —murmuró la jefa.

—¡Ya ves! —repuso la profesora.

—¡Ahora podemos destruir a Perrobot de una vez por todas! —exclamó Velma—. ¡Volaremos hasta **LA ACADEMIA DE PERROS POLICÍA** y lo haremos saltar por los aires! ¡SEGUIDME!

Velma activó su cohete propulsor y salió disparada hacia el cielo nocturno.

¡CATAPLUM!

Los tres supergatos la siguieron.

¡CATAPLUM! ¡CATAPLUM! ¡CATAPLUM!

Atrás quedaron los perros policía, atrapados en el camión, aullando hasta desgañitarse. Pero las únicas personas que podían oírlos estaban maniatadas.

— **¡AUUU! ¡AUUU!**

— **¡PERROBOT!** —gritó la jefa—. ¡Te necesitamos! ¿Dónde te metes?

¡ÑEEEC!

El camión se balanceó al borde del acantilado. Una ráfaga de viento bastaba para que todos acabaran hechos papilla.

Mientras tanto, Perrobot, **Ratael** y la **patrulla perdida** estaban ya en las afueras de la ciudad. Siguiendo las huellas de los neumáticos, habían llegado a la calle principal de **TRAPISONDA**, una avenida que la cruzaba de punta a punta y en la que había tal mezcolanza de huellas que resultaba imposible distinguir la ruta que había seguido el camión.

—Y ahora, ¿qué? —preguntó **Ratael**.

Sin embargo, antes de que Perrobot pudiera contestar, cuatro estelas luminosas rasgaron el cielo nocturno.

—¿Qué demonios…? —empezó a decir Canguelo.

Solo cuando se acercaron un poco más, comprendió Perrobot qué eran.

—¡GATOS! —exclamó—. ¡GATOS VOLADORES!

—¡MUCHO MÁS QUE GATOS VOLADO-RES! —gritó Velma desde el interior de su exoesqueleto blindado—. ¡SUPERGATOS! PERROBOT, ÍBAMOS A BUSCARTE A **LA ACADEMIA DE PERROS POLICÍA**, PERO ¡VEO QUE NOS HAS AHORRADO LA MOLESTIA DE VOLAR HASTA ALLÍ! ¡PREPÁRATE PARA MORIR!

Dicho esto, Velma lanzó un proyectil desde su exoesqueleto.

¡ZAS!

¡El cohete iba derecho hacia los perros!

CAPÍTULO VEINTIUNO

LA VENGANZA

*P*errobot se vio obligado a improvisar.

—¡SUBID A MI ESPALDA! —gritó a los demás perros.

Canguelo, Flojeras y Chorlito obedecieron sin rechistar.

Los cuatro perros y **Ratael** despegaron a toda velocidad justo en el instante en que el misil detonó.

¡CATAPLUUUM!

—¡AAAY! —chilló Floje-ras—. ¡Se me ha chamusca-do el pompis!

No exageraba: su cola echaba humo, pero esa era la última de sus preocupacio-nes, porque cuatro superga-

tos con poderes letales se habían propuesto **acabar** con ellos.

¡ZAS!

¡ZAS!

¡ZAS!

Los felinos lanzaron más misiles.

—¡Agarraos fuerte! —ordenó Perrobot
mientras los esquivaba.

¡FIUUU!

Los cohetes se estrellaron contra los edificios de
alrededor entre grandes llamaradas.

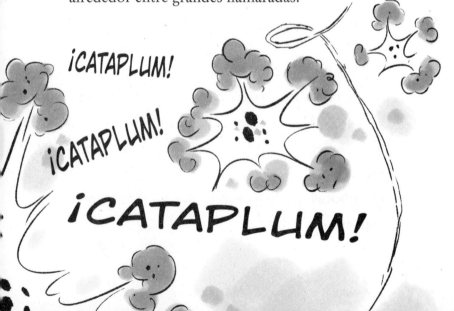

¡CATAPLUM!

¡CATAPLUM!

¡CATAPLUM!

—¿POR QUÉ? —les preguntó Perrobot a gritos—. ¿Por qué hacéis esto? ¡Destruiréis toda **TRAPISONDA**!

—¡Me da igual! —chilló Velma—. ¡Por mí, como si no queda ni un edificio en pie! ¡Lo único que me importa es acabar contigo, Perrobot!

—¡Creía que éramos amigos!

—¿AMIGOS? —le espetó la gata—. ¡¿AMIGOS?! Los gatos odian a los perros con todas sus fuerzas, y ¿qué puede ser peor que un perro con superpoderes?

—¿Un gato con superpoderes? —aventuró Canguelo, aferrándose a la espalda de Perrobot como un náufrago a su tabla de salvación.

—¡Exacto! —replicó Velma.

—¿Dónde están los demás perros? —exigió saber Perrobot.

—¡A punto de caer por un precipicio y morir espachurrados junto con tus queridas mamaítas!

—¡¡¡NO!!! —gritó Perrobot—. ¡Por favor, te lo suplico, no les hagas daño!

—¿A ti qué más te da?

Perrobot se quedó pensativo unos instantes, pero la respuesta era evidente:

—¡Las quiero!

Velma soltó una risotada.

—Pero ¡si estás hecho de metal! ¡Eres incapaz de sentir amor!

—¡**Tú** sí que eres incapaz de sentir amor! —replicó **Ratael**.

—No te preocupes, chiquitín… —le dijo Velma con voz melosa—. Acompañarás a Perrobot al otro barrio. ¡Supergatos, atentos a mi señal! ¡ABRID FUEGO!

Los cuatro felinos lanzaron una ráfaga de bolas de pelo.

¡ZAS!

¡ZAS!

¡ZAS!

¡ZAS!

Los proyectiles se expandieron en el momento del impacto, de manera que nuestros **héroes** quedaron atrapados en el interior de lo que parecía un **gigantesco** capullo hecho de pelo de gato mojado. Perrobot no podía mantenerse en el aire.

—¡PREPARAOS PARA UN ATERRIZAJE FORZOSO! —gritó.

—¡NOOOOOOOOOOOOO! —chillaron los demás mientras se precipitaban al vacío.

—¡Abramos un agujero a mordiscos! —gritó **Ratael**.

—¡No pienso meterme pelo de gato en la boca! —replicó Canguelo.

—¡Es eso o morir! —repuso Perrobot.

Con su láser, empezó a cortar un agujero en el capullo de pelo de gato.

Los demás hicieron lo mismo a mordisco limpio.

—¡Qué asco! —protestó Canguelo con la boca llena de pelo.

—¡Tú calla y sigue! —gritó Flojeras.

—¡Pues a mí me gusta el sabor! —comentó Chorlito.

Segundos antes de que se estamparan contra el suelo, lograron cortar el capullo de pelo de gato en dos. Perrobot remontó el vuelo y subieron hasta las nubes.

—¡HEMOS VUELTO! —exclamó Perrobot.

—Y ha llegado el momento de la… ¡VENGAN-ZA! —añadió **Ratael**—. Si los atacamos de uno en uno, será pan comido.

—¿Cómo vas a parar para comer en un momento así? —preguntó Chorlito.

—¡Es una forma de hablar! —replicó Perrobot—. ¡Hay que detenerlos como sea! Pasaré con un vuelo rasante por encima de ese grandullón de ahí... —dijo señalando a Pavarotti, que tenía un exoesqueleto mucho **mayor** que los demás gatos. Normal, porque estaba hecho a partir de una lavadora industrial.

—Cuando yo diga ¡SALTA!, Canguelo se lanzará sobre él y lo inmovilizará.

—¿Por qué yo? —replicó el perro, temblando de miedo.

—¡Porque eres el más ágil, y el único que puede dar ese salto!

—Pero... —protestó Canguelo.

—¡Nada de peros!

—Pero ¡es que podría morir!

—Mejor morir como un **héroe** que vivir como un cobarde, ¿no crees? —preguntó **Ratael**.

Canguelo se lo pensó unos instantes.

—¡Pues a mí no me importaría nada seguir viviendo como un cobarde, ahora que lo pienso!

—¡SALTA! —ordenó Perrobot.

Canguelo cerró los ojos con fuerza y saltó al vacío mientras sobrevolaban a Pavarotti. Como no llevaba paracaídas, cayó a plomo.

¡ P U M B A !

Aterrizó sobre la espalda del gran gato y empezaron a pelearse en pleno vuelo, aunque lo único que hizo el perro fue cerrar los ojos y repartir manotazos a ciegas.

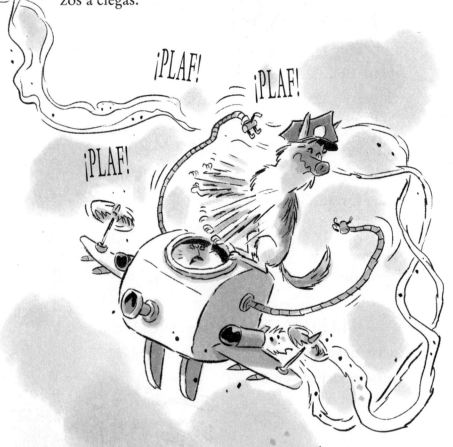

Como no podía ser menos tratándose de un gato llamado Pavarotti, como el famoso tenor italiano, fueron a caer en una pizzería cuyo escaparate saltó en mil pedazos.

¡CATACRAC!

El exoesqueleto del gato quedó bastante destrozado al cruzar el local arrollando cuanto encontraba a su paso.

¡CRAC! ¡PAM! ¡PATACHOF!

Finalmente, Pavarotti aterrizó de cabeza en una enorme olla con salsa de tomate.

—¡MAMMA MIA! —protestó. Ni que decir tiene que no le hacía ninguna gracia verse empapado en salsa.

Justo cuando Canguelo estaba a punto de llevarse a la boca una gran porción de pizza con *pepperoni*, alguien lo agarró por la cola.

—¿Qué pa…?

Flojeras lo subió a lomos de Perrobot.

—¡Guau! ¡Bien hecho, Canguelo! —lo felicitó Perrobot—. ¡Uno menos! ¡Solo quedan tres!

Pero era demasiado pronto para echar las campanas al vuelo. Caracortada se había propuesto darles una lección. Con su exoesqueleto blindado, se abalanzó sobre ellos y aterrizó sobre la espalda de Perrobot.

¡CLONC!

Resonó el metal al chocar contra metal.

El gato se alzó sobre las patas de su exoesqueleto y forcejeó con los tres perros y la rata.

—¡Nos va a tirar! —gritó Flojeras.

—¡Preparaos para morir, chuchos! —amenazó Caracortada.

—¡Ningún perro va a morir si yo puedo evitarlo! —proclamó Perrobot.

Y entonces bajó en picado hacia el puente que cruzaba el río.

—¡Agachad la cabeza! —advirtió a sus amigos.

—¿Viene alguien de la realeza? —preguntó Chorlito.

—¡CUERPO A TIERRA!

—¿Vamos a enterrar a alguien?

—¡Pegaos a mí, por lo que más queráis! —ordenó Perrobot.

Los perros obedecieron y el robot pasó como una exhalación justo por debajo del puente.

¡FIUUU!

Se salvó por los pelos de chocar con el arco superior, pero Caracortada no tuvo tanta suerte.

¡CLONC!

El gato se precipitó al río Pestilente.

¡CHOF!

—¡MIAAAU!
—maulló al hundirse en el agua mugrienta.

Todavía enfundado en su exoesqueleto, Caracortada se vio arrastrado hacia el mar.

¡ZAS!

Mientras los perros lo veían desaparecer río abajo, se oyó una explosión por encima de sus cabezas.

¡CATAPLUM!

¡Y otra!

¡CATAPLUM!

¡Y otra más!

¡CATAPLUM!

Los otros gatos habían alcanzado el puente, que se desmoronó y cayó al agua.

¡PATACHOF!

Enormes trozos de hormigón salieron disparados en todas las direcciones.

¡ZAS!

¡PUMBA!

¡Alcanzados por la lluvia de escombros, Perrobot y sus amigos se precipitaron hacia el río.

CAPÍTULO VEINTIDÓS

LOS VILLANOS MÁS MALVADOS DE TRAPISONDA

Nuestros **héroes** cayeron con gran estrépito al agua mugrienta.

¡CHOOOF!

—¡Activar modo **SUBCANINO**! —ordenó Perrobot.

Al instante, las aletas se desplegaron y la hélice cobró vida.

¡CLIC! *¡FLOP, FLOP!*

Mientras **Ratael**, Flojeras, Canguelo y Chorlito se agarraban a él con uñas y dientes, Perrobot avanzó bajo la superficie. A su alrededor iban cayendo **enormes** cascotes del puente...

… que se hundían hacia el lecho del río.

Perrobot no se detuvo hasta que todos quedaron a salvo. Él podía pasar horas bajo el agua, pero los demás tendrían que volver a la superficie cuanto antes para poder respirar. Desde abajo, Perrobot distinguió a uno de los supergatos planeando sobre el agua, sin duda asegurándose de que se habían ahogado.

Perrobot se quedó inmóvil para que no lo detectaran, pero las burbujitas de aire que soltaban los demás acabarían delatando su presencia.

¡BLUP, BLUP, BLUP!

Al ver las burbujas, Gatusalén lanzó un misil para acabar con los perros de una vez por todas.

¡BUUUM!

Chorlito no podía seguir conteniendo la respiración, así que se impulsó con las patas hacia la superficie, pero, al hacerlo, le dio sin querer a un botón de la espalda de Perrobot.

¡CLANC!

Era el botón que activaba el cohete propulsor.

De repente, todos salieron disparados del agua, yendo derechos hacia Gatusalén.

El cohete los impulsó hacia arriba a toda velocidad…

¡CATAPLUM!

… y Perrobot se empotró contra Gatusalén.

¡CLONC!

Ahora todos subían a una velocidad de vértigo, propulsados por el cohete.

¡FIUUU!

—¡PARAD! —protestó Gatusalén.

Pero Chorlito tenía la pata atrapada en el botón del cohete propulsor. No podían parar. Dejaron atrás las nubes y siguieron subiendo a toda mecha hacia el

¡ESPACIO EXTERIOR!

¡DESACTIVAR COHETE PROPULSOR!

—ordenó Perrobot. Pero era imposible mientras alguien siguiera pulsando el botón.

No sé si alguna vez habéis estado en el espacio exterior, pero ¡hace un frío que pela! Un jersey nunca viene mal allá arriba.

¡Po-po-por favor, que al-al-alguien des-des-desconecte esa cosa!

—farfulló **Ratael** castañeteando los dientes.

¿He sido yo? **¡Cachis!**

La perra apartó la pata del botón y Perrobot se detuvo en seco. Sin embargo, Gatusalén siguió avanzando como un cohete por su cuenta.

¡FIUUU!

¡El gato llevaba un rumbo de colisión con la luna!

¡ME LAS PAGARÉIS!

—chilló desde su exoesqueleto.

Finalmente, se empotró contra la luna.

¡CATAPLOF!

¡AAAY!

El exoesqueleto quedó bastante abollado.

Mientras tanto, nuestros **héroes** se precipitaban hacia la Tierra. El frío glacial del espacio exterior se vio reemplazado por un calor insoportable en cuanto cruzaron la atmósfera terrestre.

—¡QUEMAAA! —chillaron.

Perrobot se zambulló sin dudarlo en la gran fuente de la plaza mayor de **TRAPISONDA**.

¡FZZZZZZ!

Todos se apresuraron a poner los traseros escaldados en remojo.

—¡AAAH…! —suspiraron al unísono.

Pero no les duró mucho el alivio: de pronto, una sombra los engulló.

—¡VELMA! —exclamó Perrobot.

La malvada gata planeaba por encima de sus cabezas.

—Antes de mandaros a todos al otro barrio, ¡os presento a unos amigos que acaban de salir de la cárcel!

Dos siluetas borrosas surgieron de entre las sombras.

¡Eran **CEREBRÍN** y MANAZAS!

—¡Nuestros caminos vuelven a cruzarse, Perrobot! —dijo el cerebro gigante desde la pecera que empujaba su secuaz.

—No sé qué os proponéis —empezó Chorlito—. Supongo que algo tirando a terrible, pero ¿os importaría esperar un segundo? Aún me quema el pompis.

—¡**MANAZAS**! —dijo el cerebro.

La mujerona sabía exactamente qué hacer. Frotó los martillos entre sí muy deprisa, hasta que se pusieron colorados y empezaron a echar chispas.

¡CHAS!

Ni corta ni perezosa, los plantó sobre el trasero del perro.

¡FZZZT!

—¡AAAAAAAAY! —chilló Chorlito, con el pompis al rojo vivo.

—¡La has dejado como un babuino! —protestó Flojeras.

—¡JUA, JUA, JUA! —rieron los villanos, y Velma la que más.

Aunque Flojeras era el perro más vago del mundo, ver a su amiga sufriendo lo indignó de tal manera que, sin pensarlo, se abalanzó sobre **MANA-ZAS** dando un gran salto.

¡ALEHOP!

—**¡GRRR!** —gruñó Flojeras.

Pero Velma disparó una bola de pelo que lo alcanzó en pleno vuelo.

¡ÑACA!

La bola de pelo lo envolvió como un capullo. Incapaz de mover un solo músculo, Flojeras se desplomó en el suelo.

¡PUMBA!

—¿Lo veis? —proclamó Velma—. ¡Soy invencible!

—¡SOCORRO! —se oyó una voz ahogada.

—¿Quién ha dicho eso? —preguntó Chorlito.

—¡Yo, Flojeras! —dijo la misma voz—. Estoy atrapado en este capullo de pelo de gato.

—Ah, claro. ¿Qué tal se está ahí dentro?

—¡No muy bien, la verdad!

—¡APARTAD! —ordenó Perrobot, y disparó un rayo láser con el ojo.

El rayo rojo atravesó el capullo y liberó a Flojeras.

—¡Gracias! —exclamó el perro.

—¡No eres más que una gata metida en una lavadora! —le espetó **Ratael** a Velma—. ¡Así que no te vengas arriba!

—¡Ah, pero es que tengo un ejército detrás! Un ejército de malotes. He abierto un boquete en la cárcel de **TRAPISONDA** para liberar a todos los delincuentes que estaban entre rejas. No solo te destruiré, Perrobot, a ti y a todos los demás perros del planeta, sino que pretendo ¡DOMINAR EL MUNDO!

—Ay, madre… —murmuró **Ratael**—. ¡Estos supervillanos siempre acaban fatal de la cabeza!

De pronto, un aluvión de siluetas borrosas salió de entre las sombras en torno a la fuente. ¡Eran los PEORES DELINCUENTES DE TRAPI-SONDA!

Mientras formaban un cerco alrededor de nuestros **héroes**, Velma les dijo con voz melosa:

—Lo veis, perritos, no hay escapatoria... Estáis...

¡PERDIDOS!

CAPÍTULO VEINTITRÉS

EN FRANCA MINORÍA

Nuestros **héroes** no podían medirse con semejante banda de supervillanos. Los perros, la rata y hasta el robot temblaban de miedo mientras veían cómo los rodeaban. A uno de ellos hasta se le escapó una pequeña ventosidad…

¡PFFF…!

… pero no era el momento de ponerse a discutir sobre quién había sido.

La **DOCTORA FÉTIDA** abrió la boca y exhaló una nube verde de gas putrefacto que sopló en su dirección.

La **Reina de las Nieves** les apuntó con un dedo de hielo para congelarlos para siempre.

—¡NI TE ACERQUES!

CEREBRÍN flotaba de aquí para allá en su pecera, como una medusa.

—¡Estoy a punto de tener una idea especialmente **malvada**! ¡Dadme un segundo!

El Monstruo de las Cosquillas alargó los brazos en su dirección, dispuesto a matarlos de risa.

–¡NOOO!

La **PEDORRA ENMASCARADA** se dio media vuelta y disparó una bola de fuego.

¡CHAS!

MANAZAS entrechocó sus gigantescos martillos con aire amenazador.

¡CLONC!

El Chocolatero abrió la mayor caja de bombones nunca vista.

—¡Adelante, coged uno! Pero ¡cuidado con los de café!

—¡No, no! ¡Los de café nooo!

EL OGRO DE DOS CABEZAS estaba demasiado ocupado discutiendo consigo mismo.

—¡Voy a acabar con ellos!

—¡No, eso es cosa mía!

—Pero ¡primero acabaré contigo!

El **Profesor Calamar** se precipitó hacia el grupo meneando los tentáculos, listo para lanzarles un chorro de **tinta negra** a los ojos.

¡CHOF!

La Política, que estaba cubierta de polvo y telarañas, parloteaba sin ton ni son.

—Quiero poner en valor el paquete de medidas que esta ciudad necesita para recuperar el esplendor perdido y ¡BLA, BLA, BLA!

—¡ZZZ…! ¡ZZZ…! ¡ZZZ…!

¡Era imposible no quedarse dormido!

La Mole aporreó el suelo con sus puños gigantes y provocó un pequeño terremoto.

¡PUMBA!

La **Directora Malvada** sostenía una pila de libros de ejercicios.

—Quiero que me entreguéis estos deberes a primera hora de la mañana. ¡De lo contrario, os quedaréis castigados por toda la eternidad!

—¡NOOOOOOOO!

El ***GUSANO GIGANTE*** apenas hizo nada, ni falta que le hacía. ¡Que era un gusano gigante, jopetas!

—¡Estamos en franca minoría! —exclamó Perrobot—. ¡Solo podremos derrotarlos recurriendo a la astucia!

—Bueno, ha sido un placer y todo eso, pero va siendo hora de que me vaya... —murmuró Canguelo.

—Ojalá me hubiese quedado en la cama... —farfulló Flojeras.

—¿Qué significa «astucia»? —preguntó Chorlito.

—Ya sé que soy el más grande y fuerte del grupo —empezó **Ratael**—, pero no podría estar más de acuerdo con Perrobot. ¡Tenemos que usar el cerebro!

—¿El qué...? —preguntó Chorlito.

Siendo como era una criatura tan pequeña, **Ratael** siempre había tenido que recurrir a la astucia para sobrevivir. Su mente empezó a barajar ideas a toda velocidad hasta dar con una especialmente brillante.

¡TILÍN!

Una idea con la que sabía que podrían derrotar a los malos.

—¡FUUU! —bufó Velma.

Paso a paso, los villanos iban recortando distancias, acercándose cada vez más a nuestros **héroes** con aire amenazador.

Ratael alzó una patita.

—Mira, Velma, odio ser un aguafiestas, pero tengo una pregunta.

—¿QUÉ QUIERES? —inquirió la gata.

—Bueno, cuando has dicho que vas a dominar el mundo entero, ¿te referías a ti sola?

—Bueno… —empezó Velma—. Yo estaré al mando, obviamente…

—Pero ¡si no eres más que un gato! —replicó Flojeras.

—¡¿Cómo te atreves?! —tronó Velma.

—¡Yo también me lo pregunto! —añadió Canguelo.

—Perdón —interrumpió **CEREBRÍN** desde su pecera—. Soy tan listo, y mi cerebro es tan poderoso, que hablo gatés, perrés y ratés, y debo decir que los perros y la rata llevan algo de razón. ¡Quiero decir, sería un poco bochornoso que yo, el mayor genio criminal que el mundo ha conocido, aceptara órdenes de una vulgar minina!

Hubo murmullos de aprobación entre los demás supervillanos.

—¡A mí no me importa! —dijo una de las cabezas del ogro.

—¡A mí sí! —dijo la otra.

—¡SILENCIO! —ordenó Velma—. Os he sacado a todos de la cárcel, ¿o acaso lo habéis olvidado? ¡Merezco estar al mando! ¡Yo, y solo yo, dominaré el mundo para siempre!

—¡Vaya, ahora resulta que es para siempre! —replicó **Ratael**—. ¡Se le ha subido el poder a la cabeza!

—Voy a traducir el discurso de la gata —anunció **CEREBRÍN**.

En cuanto lo hizo, todos los malos rompieron a hablar a la vez.

—Pues a mí me gustaba la cárcel.

—Allí comíamos caliente tres veces al día.

—Y los jueves tocaba campeonato de Scrabble.

—¡Mi segunda cabeza y yo no habíamos llegado siquiera a instalarnos cuando nos obligaron a salir!

—Y yo he excavado un túnel para escapar. ¡Diez años me ha costado, y ahora resulta que he estado perdiendo el tiempo!

Velma estaba que echaba humo. Tanto que el ojo de buey de su exoesqueleto quedó completamente empañado. Un pequeño limpiaparabrisas empezó a oscilar a izquierda y derecha para desempañarlo.

¡ÑIGU, ÑIGU!

—**¡FUUU!** —bufó la gata, rociando la portezuela de saliva.

Los limpiaparabrisas empezaron a chirriar de nuevo.

¡ÑIGU, ÑIGU!

—En cuanto a la cuestión de quién va a dominar el mundo y todo eso —continuó **CEREBRÍN**—, como el delincuente más malvado de todos los tiempos, creo que me corresponde a mí hacerlo. Decid «sí» todos los que estéis a favor. ¡SÍ! ¡Pues no se hable más!

Los demás supervillanos pusieron el grito en el cielo.

—¡NO!

—¡NI HABLAR!

—¡NI SE TE OCURRA!

—¡YO DOMINARÉ EL MUNDO!

—¡DE ESO NADA, YO LO HARÉ!

—¡YO SÍ QUE LO HARÉ!

—LO QUE ESTE PAÍS NECESITA, BLA, BLA, BLA…

MANAZAS era una mujer de pocas palabras,

así que en vez de hablar golpeó la pecera de cristal de su jefe con los martillos que tenía por manos.

¡CATACRAC!

La pecera se resquebrajó primero y luego se rompió en mil añicos. El gran cerebro resbaló y se desplomó en el suelo.

¡CHOF!

—¡NOOOOOO! —gritó.

MANAZAS se acercó corriendo para intentar rescatarlo, pero sus manos de martillo no estaban hechas para coger cosas delicadas.

El cerebro se escurrió por la rejilla del desagüe.

¡FLOP!

—¡SOCORRO! —chilló **CEREBRÍN**, pero era demasiado tarde. Se vio arrastrado por el río de aguas mugrientas de la alcantarilla.

MANAZAS rompió a llorar amargamente.

—¡BUAAA, BUAAA, BUAAA!

Desesperada, se llevó las manos a la cabeza con tanta fuerza que se noqueó a sí misma.

¡CLONC!

La mujerona cayó al suelo con un sonoro ¡CA-TAPLÁN!

—Bueno, ¿en qué quedamos? ¿quién es el delincuente más malvado de todos los tiempos? —preguntó Perrobot, guiñando un ojo a sus compañeros. Sabía que esa pregunta sacaría de quicio a los supervillanos.

—¡YO SOY EL MÁS MALVADO!

—¡DE ESO NADA, SOY YO!

—¡NO HAY PEOR MALHECHOR QUE YO!

—¡YO SOY EL MALHECHOR QUE TODOS LOS DEMÁS MALHECHORES, HASTA LOS MÁS MALOTES, RECONOCEN COMO EL MÁS MALO DE TODA LA MALOSIDAD!

La discusión fue subiendo de tono y los supervillanos llegaron a las manos, dándose empujones y retándose mutuamente.

—¡Solo hay una manera de salir de dudas! —intervino Chorlito—. ¡CON UNA PELEA CUERPO A CUERPO!

—¡Una idea genial, Chorlito! —exclamó Perrobot—. ¡QUE SE PELEEN!

Al instante, estalló una batalla campal entre los supervillanos.

¡VAYA SI SE PELEARON!

¡El **Profesor Calamar** disparó chorros de tinta a diestro y siniestro!

¡CHOF!

¡MIS OJOS!

La **PEDORRA ENMASCARADA** soltó grandes tracas de pedos incendiarios.

¡CHAS!

¡CHAS!

¡CHAS!

La **DOCTORA FÉTIDA** exhaló una enorme bocanada de gas verde y pestilente que dejó sin aliento a todos los delincuentes.

¡ARGH!

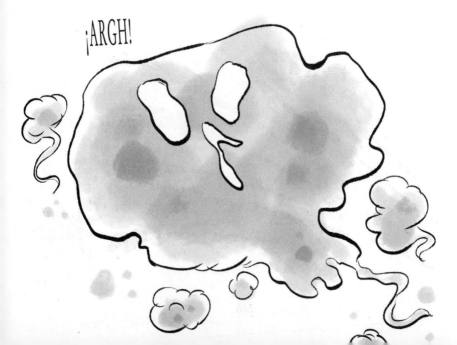

La Directora Malvada empezó a arrojar sus libros de ejercicios a la cabeza de los demás.

¡CLONC! ¡CLONC! ¡CLONC!

¡DEBERES! ¡DEBERES! ¡DEBERES!

¡La Reina de las Nieves congeló al **GUSANO GIGANTE**! ¡Parecía un gigantesco polo!

La Política se vio obligada a comer uno de los bombones con sabor a café del Chocolatero y cayó fulminada, echando espumarajos por la boca.

— ¡¡¡PUAJ!!!

El Monstruo de las Cosquillas intentó matar de risa a **la Mole**.

— ¡JA, JA, JA!

Pero lo único que le pasó a **la Mole** fue que se le escapó el pipí.

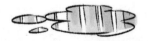

En cuanto al **OGRO DE DOS CABEZAS**, se empeñó en pelearse consigo mismo.

Los supervillanos estaban tan ocupados luchando entre sí que nuestros **héroes** aprovecharon la ocasión para escabullirse.

¡Tenían que rescatar a sus compañeros!

CAPÍTULO VEINTICUATRO

CENTRIFUGADO

Sobrevolando **TRAPI-SONDA** a la espalda de Perrobot, la pandilla no tardó en llegar a *villa Pasma.*

—¡P E R R O-BOT! —exclamaron la jefa y la profesora al verlo alumbrando el cielo nocturno. Seguían atadas a los asientos del camión, que se mecía al borde del precipicio como un balancín. Perrobot se colocó a la altura de la cabina. Sin pensarlo, **Ratael**

saltó de la espalda del robot y aterrizó sobre el capó del camión.

¡CLINC!

—¡Yo os salvaré! —proclamó heroicamente, ansioso por tomar parte en la acción.

Ratael no pesaba más que una pluma, pero fue cuanto bastó para que el camión se precipitara hacia abajo.

—¡NOOOOOO!

—chillaron las dos mujeres.

—¡AUUUUUUUUU!

—aullaron los perros.

—¡PERDÓÓÓN!

—gritó **Ratael**.

¡ZAS!

Hizo el camión, cayendo en picado.

Ratael resbaló del capó y chilló mientras se precipitaba al vacío.

—¡HIIIC!

—¡AGARRAOS! —ordenó Perrobot—. ¡DISPARAR COHETE PROPULSOR!

¡CATAPLUM!

Con la **patrulla perdida** aferrada a su cuerpo metálico, Perrobot bajó a la velocidad del sonido.

—¡ACTIVAR ELECTROIMÁN!

El electroimán saltó como un resorte de su barriga y quedó adherido a la parte frontal del camión.

¡CLONC!

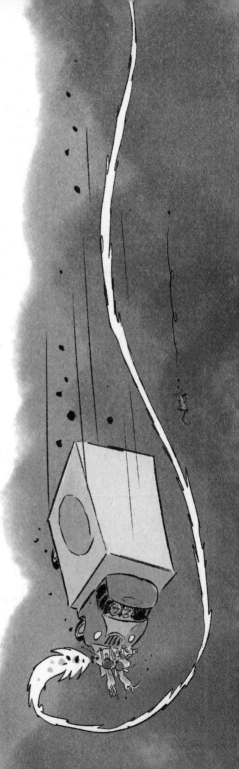

Pero **Ratael** seguía cayendo al vacío.

Cuando la rata pasó como una exhalación a su lado, Flojeras abrió la boca y la cerró en torno a la larga cola del roedor…

¡ÑACA!

… salvándolo así por los pelos —de la cola— de convertirse en papilla.

—¡FIU! —suspiró **Ratael**—. ¡Gracias! ¡Si llega a haber una segunda parte de esta historia, me gustaría mucho salir en ella!

Perrobot remontó el vuelo sosteniendo el camión, que depositó intacto en el jardín de la gran casa de campo.

La **patrulla perdida** se apeó de su espalda y fue corriendo a soltar a los compañeros encerrados en el camión, que aullaron de alegría al verse por fin liberados.

—¡AUUU!

Muchos de ellos se fueron derechos al árbol más cercano porque, después de tanto tiempo encerrados, tenían mucho pipí.

¡PSSSSSSSSS!

Con todos esos perros husmeando a su alrededor, **Ratael** se dijo que lo mejor era no llamar la atención, así que se encaramó a la fuente para pájaros y contempló la escena con orgullo

—¡AAAH...! —suspiró de emoción.

Con su ojo láser, Perrobot cortó las cuerdas que ataban a la jefa y la profesora...

¡ZAS! ¡ZAS!

... que se apearon del camión y lo rodearon con los brazos. Daba igual que estuviera hecho de metal; lo achucharon con todas sus fuerzas.

—¡Menos mal que has vuelto! —farfulló la jefa.

—¡No te imaginas lo que ha pasado! —añadió la profesora.

—¡Al contrario, lo sé! —dijo Perrobot—. Pero no hay tiempo que perder. ¡Velma ha liberado a los peores villanos de **TRAPISONDA**!

—¡¿Una gata ha hecho eso?! —exclamó la jefa.

De pronto, todos los perros prestaron atención.

—¡Debemos trabajar en equipo para encontrarlos, detenerlos y devolverlos a la cárcel, de donde nunca deberían haber salido! —proclamó Perrobot—. De momento, están distraídos luchando entre sí, pero eso podría cambiar en cualquier momento.

Los perros aullaron en señal de aprobación.

—**¡AUUU!**

—¡Sobre todo Velma! —intervino **Ratael** desde la fuente para pájaros—. ¡Hay que ponerla entre rejas para siempre!

Todos los ojos se volvieron hacia el roedor. Hubo un fugaz momento de calma justo antes de que los perros se abalanzaran en su dirección.

—¡GUAU, GUAU, GUAU!

Saltaban como locos sobre sus patas traseras para intentar alcanzarlo.

—¡GUAU, GUAU, GUAU!

—¡POR FAVOR, PARAD! —gritó Perrobot para hacerse oír por encima del estruendo.

Finalmente, los perros enmudecieron, salvo por unos pocos gimoteos aislados.

—Os presento a mi amigo **Ratael**. Es un ratón.

—¿Cómo dices? —replicó alguien desde atrás.

—Ya me habéis oído: un ratón. Y haced el favor de dejarlo en paz.

—¿No podemos usarlo como balón de fútbol? —preguntó otra voz.

—¡NI HABLAR! No estaríamos aquí si no fuera por **Ratael**. ¡Es un **héroe**!

Hubo murmullos de decepción entre los perros.

—¿QUIÉN QUIERE COGER A LOS MAL-HECHORES? —preguntó Perrobot para animar-los.

Se oyeron ladridos de aprobación.

—¡GUAU, GUAU, GUAU!

—EN ESE CASO, ¡SEGUIDME!

Espoleados por la emoción de la aventura, los perros llegaron a **TRAPISONDA** en un visto y no visto. La pelea entre supervillanos estaba llegando a su fin. Todos se habían desplomado en el suelo, agotados, excepto uno. Esa parte de **TRAPISONDA** había quedado arrasada durante la batalla campal. El único villano que seguía en pie era, cómo no, **EL OGRO DE DOS CABEZAS**, que continuaba dándose puñetazos en ambas caras.

¡ZASCA!   ¡ZASCA!

¡ZASCA!

El ogro se tambaleó.
Y se atizó un último puñetazo…

¡ZASCA!

… que hizo que también él cayera de morros en el suelo.

¡PUMBA!

Esto facilitó mucho la tarea de los perros policía. En equipos de tres, arrastraron a los villanos de uno en uno hasta la cárcel municipal de **TRAPISONDA**.

—¡GRRR!

Perrobot se puso muy contento cuando le confiaron la tarea de transportar a Velma hasta la cárcel. Justo cuando estaban llegando a la puerta principal, la profesora intentó abrir el exoesqueleto para sacar a la gata de su interior y que pudiera pasar por el hueco, pero de pronto Velma abrió los ojos.

—¡FUUU! —bufó.

—¡VELMA! —exclamó la profesora.

—¡Solo fingía que me había desmayado! —replicó la gata—. ¡Os voy a fulminar!

Dicho lo cual, Velma apuntó con su último cohete al grupo.

—¿Qué hacemos, profesora? —preguntó Perrobot mientras todos los perros levantaban las patas en señal de rendición.

—¡No lo sé! —exclamó la profesora—. ¡Lo mío es fabricar lavadoras, no exoesqueletos de supervillanos!

Pero lo cierto es que una cosa y otra se parecían bastante.

—¡Ya lo tengo! —replicó Perrobot—. ¡Hay que poner el programa de centrifugado!

—¡CLARO! —lo animó **Ratael**.

Dicho y hecho: la rata se bajó de la espalda de Perrobot y pulsó un botón del exoesqueleto de Velma.

Al instante, la gata empezó a dar vueltas y más vueltas dentro del exoesqueleto, al principio despacio, pero luego cada vez más deprisa.

¡ZAS, ZAS, ZAS!

—¡MIAAAUUUUUU! —chilló.

Pero nadie podía ayudarla.

Siguió dando vueltas y más vueltas y más vueltas.

¡ZAS, ZAS, ZAS!

Giraba tan deprisa que salió despedida.

¡FIUUU!

Y siguió girando hacia el cielo, hasta dejar atrás las nubes y salir al espacio exterior. Solo dejó de girar cuando llegó a la luna y aterrizó —perdón, alunizó— justo encima de Gatusalén.

¡CLONC!

Abajo, en el plane-
ta Tierra, los perros
aullaron de alegría.

—¡AUUU!

Ahora que todos los villanos volvían a estar encerrados en la cárcel de **TRAPISONDA**, la jefa se volvió hacia los perros policía.

—¡Buen trabajo! —empezó—. ¡Esta noche, todos y cada uno de vosotros ha demostrado ser un **héroe**!

—¡AUUU!

—He decidido que mañana a primera hora ¡celebraremos vuestro desfile de graduación!

Los cadetes no se lo podían creer.

—Esta noche, todos habéis aprobado con nota, sobre todo la **patrulla perdida**, ¡que será condecorada por su valentía!

—¡AUUUUUU!

—Sin embargo, si alguien merece nuestra gratitud eterna, ese es… ¡PERROBOT!

—¡¡¡AUUUUUU!!!

—aullaron los demás perros de alegría.

La jefa, la profesora y Perrobot se abrazaron, y una gotita de aceite brotó del ojo del robot.

—No estoy triste, así que no entiendo por qué lloro —dijo.

—Yo sí —repuso la profesora, secándose sus propias lágrimas—. Estás llorando de alegría.

—¡Oh, no! —exclamó **Ratael**, rompiendo a llorar también—. ¡Como empiece, no habrá quien me pare! ¡BUA, BUA, BUA!

CAPÍTULO VEINTICINCO

EL DESFILE DE GRADUACIÓN

El **desfile de graduación** salió a pedir de boca. Todos los reclutas se convirtieron oficialmente en perros policía listos para cumplir con su deber. La profesora asistió al acto sentada en la primera fila, rodeada por agentes de policía uniformados y ansiosos por formar pareja con esos perros tan valientes.

La jefa presidía la ceremonia desde un escenario con pequeñas rampas para que los cadetes subieran y bajaran.

Cada perro le daba la pata y luego se retiraba. Después de que los cien cadetes ingresaran en el cuerpo de policía entre aplausos fervorosos, la jefa se dirigió a un grupo aún más especial.

—Ha llegado el momento —anunció con una sonrisa de oreja a oreja— de conceder el máximo honor que puede recibir un perro policía a quienes hasta hace poco conocíamos como la **patrulla perdida**...

Mientras la escuchaban, los tres perros se miraban, incómodos.

—No merecemos ninguna medalla —dijo Canguelo—. Yo soy un cobarde.

—Y yo un vago —añadió Flojeras.

—Y yo soy la tonta, ¿verdad? —preguntó Chorlito—. Nunca me acuerdo.

Ratael saltó de la espalda de Perrobot y les dijo:

—No sois ninguna de esas cosas. Canguelo, tú has demostrado una gran valentía al enfrentarte a Pavarotti, el gato más grande y malvado de todos. Eso no es de cobardes. En cuanto a ti, Flojeras, ¿cómo va a ser un vago alguien que se lanza al vacío para salvar a un amigo? Y tú, Chorlito, fuiste la que les dijo a los villanos que la única manera de arreglar sus diferencias era peleándose entre sí. ¡Gracias a ti, no tuvimos que enfrentarnos a ellos! ¿Te das cuenta de lo genial que eres?

—¡Bien dicho, **Ratael**! —exclamó Perrobot—. ¡Disfrutad de esas medallas, os las habéis ganado!

Mientras tanto, la jefa estaba a punto de concluir su discurso.

—Así que recibamos con un fuerte aplauso a la antigua **patrulla perdida**, hoy convertida en un triple y deslumbrante ejemplo de valentía, dedicación y astucia: ¡enhorabuena, Canguelo, Flojeras y Chorlito!

Los tres perros miraron sonrientes a sus dos amigos mientras les colgaban una medalla de oro en torno al cuello.

—Y ahora ha llegado el momento de que nuestro cadete más reciente, creado por mi brillante y preciosa esposa, la profesora, suba al escenario para convertirse oficialmente en perro policía. Os pido que os pongáis en pie para recibir a Perrobot.

Todos los asistentes al **desfile de graduación** se levantaron para premiar al heroico robot con la ovación que se merecía.

—¿Perrobot? —lo llamó la jefa, levantando la voz—. ¡¿PERROBOT?!

Pero no había ni rastro de él.

—**Ratael**, ¿dónde se ha metido? —preguntó.

Pero la rata se encogió de hombros.

—¡A mí que me registren!

CAPÍTULO VEINTISÉIS

AMOR

*E*sa tarde, la jefa y la profesora llegaron a su casa muy alicaídas. El gran momento de gloria que la jefa había reservado para la genial creación de su mujer había acabado en un chasco. Y, para colmo, habían perdido a alguien que ya era como de la familia, así que os podéis imaginar su sorpresa cuando entraron en el salón ¡y encontraron a Perrobot sentado frente a la chimenea!

—¡PERROBOT! —exclamaron.

Las dos mujeres fueron corriendo hacia él y le dieron un gran abrazo.

—Estábamos muy preocupadas por ti —le dijo la profesora.

—¡Te has perdido el **desfile de graduación**! —señaló la jefa.

—Lo sé —contestó el robot—, pero es que he estado pensando. Y sintiendo.

—¿Sintiendo? —preguntó la profesora.

—Sí, sintiendo. Y si algo he aprendido en mi corta existencia es que los sentimientos pueden más que los pensamientos. Sé que esto sonará ridículo...

—¡Sigue! —imploró la jefa.

—... pero no quiero seguir siendo un perro policía. Solo quiero ser vuestro perro. Vuestra mascota.

—Pero ¿por qué, si podrías ser el mejor perro policía de todos los tiempos? —preguntó la jefa.

—Porque quiero sentir algo que solo sienten los perros de verdad.

—¿Y qué es eso? —quiso saber la jefa.

—Creo que lo sé —apuntó la profesora con una sonrisa.

—Bueno... —empezó el robot—, puede que parezca una tontería, pero supongo que... lo que quiero sentir es... amor.

—¿Amor?

—Sí. Si puedo querer y ser querido, será porque soy un perro de verdad.

La profesora miró a la jefa y arqueó las cejas.

—¡No te imaginas lo mucho que te queremos, Perrobot! —le aseguró la jefa.

—¡Y yo a vosotras!

Por fin, Perrobot se sintió como un perro de verdad.

EPÍLOGO

Esa noche, mientras Perrobot dormía a los pies de la cama de sus dos madres, lo despertaron unos golpecitos en la ventana. Solo cuando apartó las cortinas se dio cuenta de que era **Ratael**.

Abrió la ventana.

—¿Qué haces aquí a estas horas? —preguntó el perro—. ¡Son las tantas!

—¿Cómo se lo han tomado?

—¡Muy bien! —contestó el perro con una gran sonrisa.

—Ya te lo dije. Te cubrí las espaldas en el **patio de armas**, no les di ni una pista.

—Estaba casi seguro de que me oirían escarbando bajo tierra.

—¡Qué va!

—¿Y qué haces aquí?

Ratael sonrió.

—Bueno, ya sé que no soy más que una pobre rata de cloaca..., ¡quiero decir, un ratón de ciudad!

—¡Conmigo no hace falta que disimules! ¡Lo he sabido desde el primer momento!

—¡Vale, pues una rata! —concedió **Ratael**—. ¡Me has pillado!

El perro se echó a reír.

—¡Chisss! —susurró la rata—. ¡Que las vas a despertar!

—¡Vale, vale!

—Como iba diciendo, ya sé que no soy más que una pobre rata, pero la verdad es que toda esa tontería de los perros policía me hacía bastante ilusión.

El perro sonrió.

—¡A mí también!

—Suponía que dirías eso, y me preguntaba...

—¿El qué...? —replicó el perro, expectante.

—Bueno, me preguntaba si te apetecería salir a patrullar conmigo de noche de vez en cuando.

—¿Ahora, quieres decir?

—¡Sí, ahora! Y mañana por la noche. Y la noche siguiente, y la otra.

—¡CLARO! —exclamó el perro.

—¡Genial! **TRAPISONDA** necesita a alguien que mantenga el orden en sus calles.

—¡Y quién mejor que Perrobot, el futuro de la lucha contra la delincuencia!

—¡Y su fiel escudero, **Ratael**, la rata!

—¡Súbete a mi espalda! —dijo el perro.

Con una sonrisa de oreja mugrienta a oreja mugrienta, **Ratael** se subió de un salto a la espalda de su mejor amigo.

—¡A por los malos! —exclamó **Ratael**.

—¡No se me ocurre mejor plan! —concluyó Perrobot.

Y así, Perrobot despegó y salió volando por la ventana a la velocidad del rayo.

¡FIUUU!

Los dos amigos rasgaron el cielo negro como una estrella fugaz, sobrevolando las calles de **TRAPI-SONDA**.

Acudían a la llamada de la aventura.

Y seguirían haciéndolo por siempre jamás.